STOP AU DIABÈTE!

DOCTEUR MADELEINE FIÉVET-IZARD

STOP AU DIABÈTE!

Régimes, menus adaptés et recettes

Dans la même collection

Plus une goutte!, Dr Franco Riboldi, 2011
La cigarette, j'arrête!, Dr Franco Riboldi, 2011
Stop à la fatigue!, Dr Jean-Paul Ehrhardt, 2011
Stop au cholestérol!, M. Zugnoni, 2011

Conception et réalisation : © Isabelle Lebard

Avertissement

L'ouvrage que vous avez entre les mains a pour but de faire connaître au lecteur une des très nombreuses méthodes de soins et de régénérescence actuellement à la disposition du public.

L'auteur nous apporte dans son livre son expérience et sa connaissance pointue de la nutrition. Il propose une approche originale : trouver l'équilibre idéal entre le corps et l'esprit, accroître ses potentialités, permettre de lutter contre les petits maux de la vie quotidienne.

Cet ouvrage ne propose pas de suppléer les thérapies traditionnelles. Ne vous improvisez pas médecin, tant pour diagnostiquer la cause de vos malaises ou de vos souffrances, que pour trouver le médicament ou la thérapie correspondants. Votre médecin traitant est le plus à même de vous aider à déterminer l'origine de vos maux, sans confondre des symptômes voisins ; il pourra vous aiguiller vers tel traitement et telle médecine douce.

Il est donc conseillé, selon les problèmes spécifiques – et souvent uniques – de chaque lecteur, de prendre l'avis de personnes compétentes, médecins, psychothérapeutes, kinésithérapeutes, diététiciens, infirmiers, etc., pour obtenir les renseignements les mieux adaptés à votre situation et d'y remédier par des thérapies adéquates.

PRÉFACE

Est-ce bien utile de faire un régime strict, quand on prend déjà des médicaments anti-diabétiques ?
La réponse est évidemment : « oui ».

Le diabète survient dans certaines familles prédisposées, ou en cas de prise de poids trop importante. Dans ce cas, le taux de sucre (glucose) dans le sang, la glycémie, est mal réglé par l'organe responsable, le pancréas. Tous les organes du corps sont abîmés par cet excès de glucose...
C'est bien pour « soulager le pancréas » que l'alimentation doit apporter le moins de glucides possible.

Au début de la maladie, le régime seul peut suffire à amener l'équilibre :
⊙ la glycémie à jeun reste normale à 1 gr/litre environ ;
⊙ le taux d'hémoglobine glyquée (HbA1C) surveille le diabète au cours des 3 derniers mois.
Il est normalement maintenu à 6,5 environ.

Au stade des médicaments, le diabétique doit suivre des règles alimentaires strictes afin d'alléger le traitement.
Cet ouvrage détaille les bases de l'alimentation du diabétique en faisant la différence entre le sujet sous insuline

(diabète de type 1) et le sujet sous traitement oral (diabète de type 2).

En pratique, le médecin pose toujours la question : « est-ce que le régime est bien suivi ? » avant de décider d'un changement de médicaments.

C'est en se référant aux tableaux et aux « menu-types » que le lecteur lui-même va pouvoir détecter les erreurs de régime. Un carnet alimentaire peut être utile pour consigner tout ce qui est absorbé par la bouche (aliments et boissons) pendant 24 heures.

Les conseils pratiques aident à réaliser des repas équilibrés en vitamines, en calories, en graisses, et bien sûr en glucides.

Il faut combattre cette idée reçue selon laquelle les régimes sont fades, répétitifs, difficiles à suivre.

Les épices, les herbes aromatiques contribuent à relever les plats et ne sont pas contre-indiqués pour le diabète.

L'auteur insiste sur le caractère agréable que doit garder le régime, si on veut qu'il soit poursuivi longtemps.

Docteur Jean-Claude Nataf

INTRODUCTION

Qu'est-ce que le diabète?

C'est une maladie connue depuis la plus haute Antiquité.

Les médecins romains avaient déjà remarqué que l'urine de certains patients sentait le miel et était sucrée. Pour s'en assurer, ils la goûtaient!

S'ils avaient fait cette remarque concernant l'urine, en revanche ils n'avaient aucune notion de la composition du sang, et ne pouvaient établir aucune relation entre l'excès de sucre dans l'urine et l'excès de sucre dans le sang, ce qui est l'essentiel du diabète.

Le diabète est une maladie grave et jusqu'à ce jour incurable, du moins certaines formes, mais il est heureusement compatible avec une longue vie, à condition que celui qui en est atteint respecte certaines règles.

C'est une maladie extrêmement fréquente dont les symptômes peuvent rester longtemps cachés. C'est ce dernier point qui multiplie les risques de complications dégénératives assombrissant le diagnostic: les artérites, les atteintes de l'œil et des reins.

Aussi tous les efforts des malades et des médecins doivent-ils tenter d'éloigner l'apparition de ces complications contre lesquelles nous restons parfois démunis malgré les perfectionnements et les acquisitions nouvelles de la recherche médicale.

Principal acteur : le pancréas

Si les malades ont des connaissances familières des principaux organes de leur corps, s'ils parlent facilement du cœur et de ses infarctus si fréquents depuis les dernières décennies, si les troubles digestifs de toutes sortes comblent les cabinets de gastro-entérologues, si tant de gens ont entendu parler de la dialyse et des maladies rénales, peu de patients pourraient situer exactement le pancréas.

Bien logé profondément dans l'abdomen, reposant presque sur la face antérieure de la colonne vertébrale, le pancréas mesure environ dix-huit centimètres. Il n'est pas la cible des médecines douces ou parallèles. Ses maladies sont graves. La pancréatite chronique est le plus souvent le résultat de l'alcoolisme ; aiguë, elle nécessite une intervention d'urgence. L'atteinte la plus fréquente est le diabète sous ses différentes formes, que nous étudierons plus loin.

On pourrait presque imaginer qu'une sorte de finalité protège ce petit organe bien caché derrière la masse de nos boyaux, organe précieux puisque la greffe du pancréas n'est pas encore possible. En effet, la greffe du rein, du cœur, d'un poumon – et même des deux poumons en même temps – et celle du foie sont de pratique courante. Mais du pancréas, point du tout !

Si précieux qu'une petite partie suffit parfois pour assurer ses fonctions essentielles.

Pancréas, insuline et glucose

Le pancréas est à la fois une glande exocrine, c'est-à-dire que ses cellules fabriquent à la fois le suc pancréatique qui entre dans la digestion des protéines, des graisses et des glucides – et qui ne nous intéresse pas directement ici –, et une glande endocrine formée de cellules très particulières disposées en petits îlots, les îlots de Langerhans, disséminés sous forme de minuscules amas dans le pancréas. Ils ne représentent qu'une très petite partie du pancréas, environ deux grammes.

L'insuline est sécrétée en très petite quantité par ces cellules très spécialisées, mais leur rôle est essentiel pour maintenir la glycémie dans des limites normales.

Cette hormone directement déversée dans le sang est chargée de gérer l'utilisation du glucose.

Il existe un débit permanent et une sécrétion renforcée au moment d'un afflux de glucose dans le sang. Chez le sujet à jeun, l'hormone maintient le taux de glucose dans le sang entre 0,70 et 1,20 gramme par litre.

Tout le monde a entendu parler du glucose, cette molécule qui est la nourriture directement utilisée par la cellule. Le trouble fondamental du diabète consiste dans une mauvaise utilisation du glucose.

Si la sécrétion d'insuline est insuffisante et ne permet pas de maintenir la glycémie au-dessous de 1,20 gramme, c'est l'hyperglycémie. La maladie résulte donc d'un déficit en insuline. Déficit absolu par absence totale ou insuffisance de production, ou déficit relatif par inhibition de l'activité pancréatique.

PRINCIPES DE BASE

COMMENT ÇA FONCTIONNE?

Notion de tolérance aux glucides

Le glucose est le résultat de la dégradation des hydrates de carbone, ou glucides, qui comprennent des éléments très différents comme les monosaccharides, les polysaccharides, les oligosaccharides, plus connus sous les noms de *maltose*, *lactose* et surtout *saccharose*, celui que nous mettons dans notre café.

C'est avec ces différents éléments apportés par notre alimentation qu'à travers des métabolismes compliqués notre organisme élabore le glucose.

Le glucose est un élément énergétique privilégié indispensable à toutes les cellules. Ainsi les cellules cérébrales ne peuvent, dans des conditions normales, utiliser que du glucose. C'est le combustible parfait!

Les chercheurs savent que les cellules d'un homme au repos consomment environ dix grammes de glucose par heure. C'est dire l'importance de ces échanges.

Pour ne jamais en manquer, l'organisme peut le mettre en réserve dans le foie et dans le muscle. Et lorsque les besoins en glucose d'un organe se font sentir, il peut trouver dans ces réserves la quantité supplémentaire indispensable à son fonctionnement.

L'organisme du diabétique, lui, utilise mal ses sucres. Résultat: il y a trop de sucre dans le sang, on dit que la glycémie est élevée. Le seuil rénal d'élimination est dépassé, et le glucose passe dans l'urine.

La concentration plus ou moins importante de glucose dans le sang est sous la dépendance du pancréas, qui, par la sécrétion d'insuline, hormone hypoglycémiante, est chargé de maintenir le taux de glucose à un niveau donné.

On pourrait se représenter le seuil rénal comme un barrage situé à une certaine hauteur telle que la concentration du sucre dans le sang ne doit pas dépasser, à jeun, un nombre qui varie de 0,70 à 1,20 gramme par litre selon les méthodes d'analyse pratiquées par le laboratoire.

Lorsque le barrage est forcé, c'est-à-dire si le taux de sucre est trop élevé dans le sang, le rein est débordé dans sa fonction de filtre, et le glucose envahit les urines. On dit qu'il y a *glycosurie*.

COMMENT RÉAGIR?

Une idée vient immédiatement à l'esprit: il faut diminuer l'apport alimentaire des glucides pour faire baisser la glycémie au-dessous du seuil d'élimination.

Cependant il est très difficile, et même dangereux, de supprimer complètement les glucides dans un régime surveillé. Le but recherché est de trouver la quantité de glucides que le patient pourra absorber sans trop élever sa glycémie, et surtout sans provoquer une glycosurie.

C'est la mesure de la tolérance aux hydrates de carbone. Elle fixe donc le taux de glucides apportés par le régime alimentaire.

Mais pourquoi cette restriction? Parce que, comme nous l'avons laissé entendre, le rein, la rétine et les artères ne supportent pas cet excès de sucre. À la longue leurs réactions sont perfides et préviennent rarement.

Cependant, malgré toutes ces tentatives d'explications, cette notion qui responsabilise le sucre seul est aujourd'hui largement dépassée. Parfois la tolérance est si faible − et même nulle, ce qui est le cas du diabète infantile et des adultes jeunes − que la glycosurie est toujours élevée quel que soit le taux des hydrates de carbone de la ration.

LA GLYCÉMIE

Nous allons rencontrer le mot glycémie, mot clé de la maladie diabétique, à chaque page de cet ouvrage. C'est la mesure de cette glycémie qui permet de surveiller le diabète.

Mais nous savons déjà que l'on est amené à rechercher le sucre dans l'urine. Cette analyse sert à la fois à dépister et à surveiller la maladie. Cependant, c'est un dosage médiocre qui ne permet pas une finesse d'observation. Le sucre n'est présent dans l'urine que lorsque le taux sanguin est au-dessus de 1,80 gramme par litre. Donc, une glycémie anormale chez le sujet à jeun entre 1,20 et 1,80 gramme par litre passera inaperçue.

Existe-t-il d'autres examens capables de préciser d'une façon plus fine le dosage du sucre dans le but d'établir le diagnostic de diabète?

Le dosage de la glycémie après un repas comportant des glucides ne doit pas grimper au-dessus de 1,40 gramme par litre. Et surtout une analyse plus délicate et plus compliquée est censée répondre à la question: qui est diabétique dans les cas où le dosage de la glycémie à jeun semble litigieux?

Le procédé consiste à faire absorber une quantité de glucose à un individu à jeun et à doser sa glycémie d'une heure, une heure trente et deux heures: c'est l'hyperglycémie provoquée. Cette technique, très utilisée il y a quelques années, paraît plus ou moins abandonnée par les jeunes diabétologues.

Notion d'assimilation des glucides

L'expérience montre donc que la glycosurie n'est pas directement proportionnelle à la quantité de glucides absorbés, et que d'autres facteurs interviennent dans l'assimilation des glucides. En particulier les facteurs hormonaux, dont l'insuline qui est pratiquement la seule hormone hypoglycémiante.

Théoriquement le problème serait de savoir quelle quantité d'insuline serait nécessaire à un individu donné pour lui permettre de tolérer et d'assimiler une quantité donnée de glucides sans provoquer une hyperglycémie suivie de glycosurie. C'est le problème majeur. Cela paraît si simple !

En fait, c'est beaucoup plus compliqué. L'expérience et la fréquentation des malades permettent de le vérifier tous les jours dans les services spécialisés de nos hôpitaux.

C'est que, malheureusement, l'action de l'insuline injectée – devenue l'un des médicaments indispensables – est irrégulière et incapable de régler à tout instant le niveau glycémique comme le fait la finesse de son action, *in vivo*, chez un sujet normal non diabétique.

Qui est diabétique ?

LES DISPOSITIONS HÉRÉDITAIRES ET FAMILIALES

On peut être diabétique dès l'enfance ou l'adolescence. On ne sait pas exactement pourquoi, mais on pense qu'il existe des dispositions héréditaires et familiales.

Il est vrai qu'il y a des familles de diabétiques. Si le père et la mère sont diabétiques, il y a de fortes chances pour que l'enfant soit atteint. Il n'est pas rare de trouver dans les antécédents d'un diabétique plusieurs cas de la même maladie.

Le diabète de l'enfant peut débuter vers 5 ou 6 ans, très rarement avant. Un jour la mère de famille est alertée par le fait que son enfant a toujours soif et a fréquemment envie d'uriner. L'enfant réclame souvent à boire (il ne faut jamais lui refuser) mais, dans le cas de la maladie, la demande se renouvelle quotidiennement. À ce trouble peut s'ajouter un amaigrissement qui, associé à une certaine fatigue, va devenir inquiétant.

Chez l'adolescent, c'est le même tableau clinique, avec évidemment plus de conscience de la part de l'intéressé et moins de vigilance de la part de la famille.

Pas de signes avant-coureurs. Rien qui puisse prévenir avant que la maladie soit installée.

Enfant ou adolescent, il faut intervenir rapidement, consulter le médecin de famille qui demandera des examens en urgence.

Le plus souvent, ce diagnostic établi, un séjour en milieu spécialisé sera indispensable, car ce n'est pas une maladie facile à soigner au début. Le traitement par l'insuline en injections quotidiennes, désormais et pour toujours, fera partie de la vie du diabétique.

Les médecins disent que c'est un *diabète insulino-dépendant*: DID. Ce patient devra non seulement apprendre à pratiquer lui-même ses injections sous-cutanées d'insuline, mais il devra aussi apprendre à surveiller sa glycémie. Il ne dépendra donc que de lui-même.

Ce sont des techniques délicates. Comme l'injection d'insuline destinée à remplacer la fonction pancréatique défaillante n'est pas aussi parfaite que la fonction pancréatique chez l'individu bien portant, la glycémie va évoluer entre le trop ou le pas assez, suivant que le malade aura injecté une dose insuffisante ou au contraire trop forte, en relation avec les besoins de son alimentation.

La menace permanente pour celui qui néglige son traitement dans l'immédiat est le coma. Sans insuline: le coma hyperglycémique. Trop d'insuline: le coma hypoglycémique avec tous les risques que ces deux états comportent.

Le diabétique insulino-dépendant qui ne respecte pas sa maladie, ses injections, la surveillance parfois trois fois par jour de sa glycémie, qui n'adapte pas les dosages de ses injections au dosage de sa glycémie, qui ne suit pas son régime, joue avec sa vie.

Comme un équilibriste sur la corde raide, il devra adopter progressivement un certain nombre de gestes qui deviendront pour lui, comme on dit, une «seconde nature»!

Il est bien évident que la découverte d'un diabète chez un enfant, un adolescent ou un adulte jeune pose un problème dans la famille concernée: angoisse, problèmes difficiles à résoudre, soumission à une situation nouvelle inéluctable si il y a incompréhension ou défaillance du traitement.

Il faudra que le diabétique vive avec son diabète sans jamais le renier, comme un importun certes, mais un importun qu'il faudra bien amadouer. Il y parviendra progressivement et plus facilement que ne le supposent les bien portants.

Si, à brève échéance, c'est le coma qui guette le malade, à la longue le diabète mal soigné, négligé, du personnage désinvolte, fanfaron, de celui qui croit tout savoir, déclenche une maladie redoutable, l'artérite des membres inférieurs, des coronaires. D'autant plus si le diabétique ajoute l'intoxication tabagique à son état déjà invalidé.

Parfois le trouble pancréatique saute une ou deux générations et reparaît favorisé par le développement d'une obésité, par exemple. Ces dernières années la recherche semble avoir mis en évidence le gène du diabète, ce qui ouvre des perspectives intéressantes de prévention.

Pour devenir diabétique, on admet généralement qu'il faut cette prédisposition héréditaire à laquelle s'ajoute un facteur déclenchant. Celui-ci peut être de diverses natures: une émotion, une grippe sévère, un virus, un traitement à la cortisone plus ou moins bien conduit, une intervention chirurgicale, un deuil ou même un simple changement dans la vie, par exemple un déménagement mal vécu et perturbateur, et surtout le développement d'une obésité.

L'OBÉSITÉ

C'est l'une des causes les plus fréquentes du diabète.

Le diabète des gros, des pléthoriques, appelé aussi diabète «gras», atteint les gros mangeurs, buveurs de vin et d'alcool, pesant huit à dix kilos de plus que leur poids normal. Ces obèses sont florissants, gais, bon vivants, et ignorent la plupart du temps leur maladie qui n'est souvent mise en évidence que par hasard : une visite d'entreprise ou un examen de routine.

Mais toutes les obésités ne sont pas diabétogènes. Tous les obèses ne sont pas diabétiques. On doit au Pr Jean Vague de Marseille d'avoir, dès 1947, attiré l'attention des spécialistes sur la distinction à faire entre deux formes d'obésité selon la répartition du tissu adipeux sous-cutané sur le corps.

Bacchus

Il suffit de regarder autour de soi pour remarquer que toutes les personnes qui pèsent lourd ne se ressemblent pas.

Grand, large d'épaules, l'abdomen débordant largement sur la ceinture du pantalon, le visage rubicond, l'œil à fleur de peau, le verbe haut, très dynamique, costaud aux biceps formidables, capable de soulever un sac de farine à bout de bras, il se présente.

Profession : boulanger ; taille : 1,85 ; poids : 102 kg.

L'homme se lève et se déplace avec difficulté.

L'examen se termine. «À sept heures, c'est le café au lait que j'aime bien sucré avec quelques croissants. Vers huit heures, le casse-croûte avec le mitron : sandwiches beurre-saucisson ou fromage, parfois les rillettes avec un bon coup de rouge. À midi, le repas avec Madame et les gosses, puis la sieste. Le soir, comme tout le monde (!); et si la nuit je souffre d'insomnie, il m'arrive de me relever, et s'il reste quelques quiches ou gâteaux invendus de la veille, ça ne me fait pas peur.»

Et il ajoute : «Je suis essoufflé, fatigué, je dors mal, ça ne va pas, ça doit être les glandes qui me travaillent.»

Celui qui s'est reconnu dans ce portrait de l'homme type Bacchus, avant d'accuser ses «glandes» – l'obésité endocrinienne est une rareté –, doit se munir d'une table de calories et faire ses comptes avant que ne se déclenchent un diabète et ses séides néanmoins dangereux : l'hypertension, l'hypercholestérolémie et les maladies cardio-vasculaires.

Mais cette forme d'obésité n'est pas l'apanage des hommes. Vous connaissez aussi des femmes sympathiques, qui ont une allure virile, la brioche masculine mais les hanches minces et les jambes fines. Elles parlent souvent fort avec une voix grave et autoritaire. Elles perdent prématurément leurs cheveux. À table elles ont, comme on dit, un bon coup de fourchette. Elles exercent parfois des métiers réservés à la gent masculine. Elles ne sont pas toujours faciles à vivre, car elles se mettent en colère pour un rien, mais, comme elles aiment la «bonne bouffe», elles font la joie des réunions amicales autour d'une table.

Ces deux types de personnes, homme ou femme, évoluent parallèlement et innocemment vers une affection qui découle de la répartition de leur graisse et de leur excédent pondéral : le diabète, le plus souvent accompagné d'une hypertension.

C'est l'obésité androïde qui cache, sous un aspect anodin et dans une gaieté factice de bonne santé, un pronostic sévère si un régime et parfois un traitement ne sont pas mis en œuvre. Cette obésité androïde est qualifiée par les Américains de forme *apple*, en référence à la forme d'une pomme.

Vénus

À l'opposé de ce type de boulanger costaud, commenté par le regretté Pr Trémolières – qui dirigeait l'unité diététique de l'hôpital Bichat à Paris et qui a illustré ses cours de réflexions philosophiques d'une finesse inégalée –, voici «Vénus», tout à fait différente du type précédent. Elle avance, timide, inquiète, et s'assied sur le bord de la chaise. Elle se déshabille lentement, sa peau est blanche comme du marbre pâle et froide, ses hanches larges et sa peau boursouflée qu'elle appelle cellulite. Son visage est fin, sa poitrine menue, sa taille fine, ses jambes épaisses. C'est le type de l'obésité gynoïde, que les anglophones qualifient de fémorale, dite aussi «en poire», caractérisée par un excès de graisse au niveau des cuisses et des fesses.

Comment se nourrit-elle? Parfois elle chipote sur la nourriture, elle n'hésite pas à sauter un repas, car dit-elle, elle n'a jamais faim. Mais il arrive aussi qu'une fringale impérative la surprenne à la moindre contrariété. Elle n'aime pas sortir de chez elle et peut rester des heures entières à écouter la radio, un ouvrage dans les mains, grignotant quelques douceurs. C'est la femme «télé-chocolat», toujours fatiguée. Et à la regarder vivre on a l'impression d'un individu statique qui peut rester de longs moments sans bouger «ni pieds ni pattes».

On peut établir pour ce cas les mêmes remarques que pour le type Bacchus: il existe des hommes qui, comme cette femme, sont toujours fatigués et présentent les mêmes répartitions du tissu adipeux sous-cutané.

On pourrait dire alors que l'on rencontre des Bacchus femmes et des Vénus hommes.

Il résulte de cette étude de la répartition de la graisse chez les individus obèses des risques métaboliques prouvés et évidents dont le diabète est l'un des plus flagrants.

C'est cependant chez l'obèse androïde avec son gros ventre, ses épaules larges, son teint fleuri, coléreux et entreprenant, que les risques de l'apparition d'un diabète sont les plus à redouter.

Pourquoi? On ne le sait pas parfaitement. On le constate, et tous les auteurs les plus autorisés le répètent dans leurs travaux, dont ceux sur les habitants de la localité de Framinghan aux États-Unis, pratiqués pendant un laps de temps très long (plus de vingt ans) par le Pr Castelli.

Les rapports insuline/obésité

On sait en revanche que les relations entre l'insuline et l'obésité sont complexes. L'hyperinsulinisme est présent chez tout sujet obèse quels que soient les mécanismes responsables de l'obésité, le type de l'obésité et le sexe. C'est-à-dire que chez tout obèse, le dosage de l'insuline à jeun est élevé, et ce taux est proportionnel au degré d'obésité. Des injections répétées d'insuline provoquent une augmentation de poids. Et le taux d'insuline est plus élevé chez les femmes androïdes prédisposées au diabète que chez les autres. Problème de circulation de l'insuline ou de production... mystère!

L'insulino-résistance

Autre inconnue: l'insulino-résistance. Comment se fait-il que l'administration d'une quantité donnée d'insuline chez un sujet obèse n'entraîne pas une chute de glycémie comme chez un sujet mince? On constate en effet que ces personnes obèses sont capables de maintenir une glycémie normale malgré un hyperinsulinisme.

Ces deux phénomènes paraissent si totalement intriqués que la réduction pondérale réduit à la fois l'hyperinsulinisme et l'insulino-résistance. Mais à quoi bon toutes ces notions? Pourrait-on dire que ce ne sont que savantes discussions de savants biologistes? Si le médecin chargé de suivre son malade en est doctement instruit, sa préoccupation première est de persuader son malade, de l'inviter à prendre conscience de sa maladie. Nous essaierons de voir comment il s'y prendra.

Il semble donc exister un «cercle» vicieux auto-aggravant chez l'obèse, dont le point de départ non encore élucidé reste un sujet de débats et de recherches pour les équipes mondialement spécialisées. À part ce diabète, si l'on peut dire préfabriqué par le développement d'un certain type d'obésité, qui peut être diabétique?

LES PERSONNES ÂGÉES

Avec l'âge, toutes les fonctions digestives et hormonales fonctionnent au ralenti. La sénescence se caractérise par la prédominance du catabolisme sur l'anabolisme. C'est-à-dire que l'on perd plus qu'on ne gagne dans tous les métabolismes.

Si la plupart des nutritionnistes conseillent une nourriture simple et équilibrée selon le degré d'activité conservée, le temps n'est plus au régime jockey et à une surveillance attentive de tous les paramètres des composants sanguins et urinaires.

C'est dans la jeunesse qu'il convient de ne pas se bourrer de graisse et de sucre. Le cholestérol tant redouté des personnes âgées ne doit pas être, après 65-70 ans, une source d'angoisse et de restrictions permanentes. Le mal est fait!... si mal il y a.

Il n'est pas étonnant de rencontrer, dans le «troisième âge», des analyses biologiques sur lesquelles le médecin remarque «un peu trop de tout», comme disent les intéressés. C'est au nutritionniste de faire la part des choses et d'établir une diététique pas trop contraignante pour un diabétique âgé.

Nous ne traiterons pas dans ce livre des enfants diabétiques. Ils sont suivis par les services spécialisés, leur alimentation est le plus près possible de celle d'un enfant normal du même âge. L'aventure de leur maladie, c'est-à-dire les piqûres quotidiennes d'insuline, nécessite leur participation active dès la découverte du diabète.

Enfin, il faut savoir qu'il existe des diabètes biologiques sans aucune répercussion sur l'état général, sans obésité, qui sont des trouvailles d'examens de laboratoires pour une autre affection. Ce sont les plus dangereux. Il est conseillé de surveiller le sang et l'urine des patients régulièrement.

Les symptômes

Ceci nous amène à nous demander comment on s'en aperçoit.

Parfois on ne s'en aperçoit pas. C'est le cas des deux situations décrites ci-dessus : le diabète des personnes âgées et les diabètes infracliniques, sans signes apparents. Chez l'enfant, il peut arriver que l'on tarde à consulter tant les symptômes semblent banals. Il arrive aussi que le médecin n'y pense pas dès les premiers symptômes.

C'est un ensemble de troubles ayant, quand ils sont associés, une grande valeur diagnostique qui doivent mettre la puce à l'oreille du médecin consulté, si j'ose dire, même si le tableau clinique se trouve amputé d'un des signes clés.

La soif, l'asthénie, l'amaigrissement, la faim, le déséquilibre, puis, à un stade parfois ultérieur, parfois comme signe avant-coureur, l'impuissance. Enfin, les douleurs des membres inférieurs à la marche, qui signent déjà l'artérite. Précisons ces symptômes déjà rencontrés.

LA SOIF

La soif, d'abord. Une soif inextinguible, ardente, continue, que rien n'apaise.

C'était le cas de ce consultant qui, venu au cabinet pour une douleur lombaire, racontait:

« Et puis, docteur, j'ai toujours soif! Je suis voyageur de commerce. Je suis obligé de m'arrêter je ne sais combien de fois par jour dans les bistrots. Je buvais de la bière mais je me suis mis au Vittel-menthe, vous pensez, toujours au volant, la menthe ça rafraîchit. Enfin, je me suis mis à sucer des bonbons. Rien n'y fait!

– Avant tout, vous allez faire faire une prise de sang. »

Résultat: glycémie à 3 grammes.

Aussitôt, mise en marche d'examens parallèles des urines, des artères, des yeux. Puis initiation à la mise en œuvre d'un traitement par insuline dans un service de diabétothérapie.

LA FATIGUE

Une asthénie, une fatigue, sont source de déprime chez des patients qui jusqu'à ce jour étaient très entreprenants. Une fatigue insurmontable qui se fait ressentir dès le lever, qui ne se passe pas dans le courant de la journée et laisse celui qui en est atteint interdit et inquiet. Telle la fille du restaurateur. Une belle femme, la quarantaine florissante. Elle disait avoir trois ou quatre kilos à perdre, un métier comportant des responsabilités; elle portait des bijoux voyants qui pétillaient comme ses yeux. Pourtant, malgré cet aspect éclatant, bien nourri (trop nourri, assurément), je sentais une espèce d'angoisse qui se traduisait dans son attitude.

Je parlai régime; elle répondit, insolente: «Vous pensez bien que je ne vous ai pas attendu et que je n'ai pas besoin de vous pour savoir ce que je dois et surtout ne dois pas manger! Moi, je fais de la cuisine saine. On se tient bien à table à la maison!» Puis, en réfléchissant, elle continua: «Et mon mari, je ne vais pas le nourrir de trois cuillerées d'épinards et d'un yaourt!»

Pour la dérider, j'envisageai quelques massages.

« Si c'est pour se priver de tout, c'est pas la peine de se faire masser. Tâtez mes cuisses, c'est du solide ! J'ai même fait des analyses. La gynéco a dit que j'ai seulement un peu de tension ! »

Et enfin elle ajouta : « Et je suis fatiguée, très fatiguée et ça, ça ne m'est jamais arrivé ! Et plus je mange pour me soutenir, plus je me sens mal. »

Alors je regardai cette belle dame sans indulgence, avec mes yeux de médecin : le visage large, le teint couperosé, le cou de taureau, les épaules de lutteur, le ventre de maître d'hôtel au large bedon qui part de sous les seins et arrive au pubis. Je savais que j'avais devant moi la reine des banquets, et bien capable d'apprécier les alcools au-delà du permis.

Cette angoisse et cette fatigue passaient parfois dans ses yeux comme un flash, doublant une agressivité dont elle avait fait preuve au début de la consultation.

Elle me dit, après avoir écrasé son troisième mégot :

« Vous savez, je ressemble à mon père. Il pesait lourd mais c'était un homme formidable, il est mort il y a dix ans dans la cuisine de son restaurant ! »

Cette asthénie, ce grignotage permanent, cet antécédent familial, il fallait en savoir plus.

Alors la routine : le laboratoire.

Résultat : trop de sucre, de lipides, de triglycérides, de cholestérol (surtout « du mauvais »), taux d'acide urique élevé.

Un régime ferait perdre les kilos superflus, rétablirait la joie de vivre, effacerait la fatigue et à la longue ramènerait à un taux plus convenable les autres paramètres de l'analyse. « Alors, il ne faut plus manger... Ce sera difficile ! C'est de famille, on a toujours été comme ça. Ce sera difficile ! Ce sera difficile ! », répétait la fille du cuisinier, pour qui, suivant la symbolique ancienne, gros appétit égale bonne santé, et régime égale signe de mort.

L'AMAIGRISSEMENT

Un gros qui maigrit sans savoir pourquoi... alerte!

Un maigre qui maigrit... double alerte.

L'amaigrissement n'est pas l'un des tout premiers symptômes mais il est plus grave: l'organisme doit puiser dans ses ressources pour faire face.

Un enfant qui maigrit: alerte maximale, excepté sous contrôle médical et pour un embonpoint reconnu et traité. Un enfant qui grandit semble perdre du poids. Il n'en est rien.

Un enfant qui maigrit, qui est nauséeux, qui vomit, qui a soif, qui rechigne sur tout à table ou qui a les yeux plus gros que le ventre, comme on dit, et qui est anormalement fatigué, doit faire l'objet d'un examen médical attentif et précis.

Il faut éviter le coma diabétique, qui nécessite une hospitalisation d'urgence en milieu spécialisé.

L'IMPUISSANCE

La difficulté pour le médecin, c'est d'y penser.

La difficulté pour le patient, c'est de l'accepter.

Attribuer au diabète l'impuissance masculine demande une longue consultation et des examens précis. C'est très simple si le médecin demande immédiatement un examen de laboratoire; mais il arrive que tous les diagnostics les plus invraisemblables, les plus rares, soient envisagés avant de trouver une simple augmentation de la glycémie.

C'était du temps où l'acupuncture était censée guérir tout, même l'inguérissable: la dépression nerveuse la plus grave, toutes les affections osseuses les plus rebelles et, bien sûr, pourquoi pas, le cancer à un stade avancé. Ce patient, las de tout, s'était voué aux aiguilles. Heureusement, le médecin acupuncteur était sérieux et prudent. Le malade passait au labo avant tout début de traitement. Et voilà une hyperglycémie qui durait depuis plusieurs années à bas bruit, secrètement, évoluant vers cette impuissance très difficile à guérir.

Conclusion : il y a deux formes de diabète

En réalité, il y a donc deux formes de diabète : le diabète maigre insulino-dépendant des gens jeunes (avant 40 ans) et le diabète gras des obèses.

Dans les deux formes, la diététique est indispensable. Mais alors que dans le premier cas le traitement par l'insuline est obligatoirement associé à la diététique, dans le diabète gras, seul le régime amaigrissant bien surveillé peut gommer la maladie. Mais attention ! L'hyperglycémie reviendra avec un embonpoint retrouvé. Il faudra donc suivre une alimentation dirigée continuellement et faire contrôler la glycémie de temps en temps.

Si le régime est mal suivi, si les entorses sont fréquentes, si le poids remonte, cette négligence amènera la nécessité d'associer un traitement par la pilule hypoglycémiante. Mais pratiquement jamais le diabétique obèse ne sera dans l'urgence de l'injection d'insuline. Ou bien alors c'est que le malade aura été particulièrement négligent et pendant longtemps.

Mais cet obèse diabétique négligent n'est pas à l'abri des tristes complications à long terme, dont la plus fréquente est l'artérite.

L'insuline a été découverte par deux savants, Banting et Best, Canadiens, en 1921-1923. Avant la mise en application de cette invention, le diabète était une maladie mortelle, à plus ou moins longue échéance.

C'est une molécule complexe : la pro-insuline est stockée sous forme de granules, et c'est l'augmentation du taux de sucre dans le sang qui transforme la pro-insuline en insuline. Une finesse extrême d'adaptation que la quotidienne et banale injection des malades est loin de reproduire.

D'autres éléments interviennent dans la régulation de la glycémie, tels : les hormones corticosurrénales, l'hormone de croissance, le glucagon, l'adrénaline et même les hormones thyroïdiennes. Il est évident que les études très poussées de ces différents paramètres nous entraîneraient sur des chemins ardus qui n'ont pas cours ici et ne concernent que des spécialistes.

CONNAÎTRE LES ALIMENTS

❧

Avant de parler de rééducation alimentaire du diabétique, il semble indispensable de rappeler ce qu'est la nourriture pour l'homme. Comment le diabétique qui va prendre en charge son alimentation serait-il capable de suivre ces directives sans faire de distinction entre les différents aliments, nutriments et calories ? C'est à partir de ses connaissances qu'il va organiser son régime.

Les aliments sont composés de nutriments qui dégagent des calories destinées à entretenir la machine humaine. Ces nutriments sont les protides, les lipides, les glucides, les sels minéraux, les vitamines et l'eau.

On classe les aliments suivant certaines catégories qui correspondent à des normes :
⊙ les viandes, les poissons, les œufs ;
⊙ le lait et ses dérivés, les fromages ;
⊙ les céréales et légumineuses, les féculents ;
⊙ les fruits et les légumes verts ;
⊙ les matières grasses ;
⊙ les boissons.

Les nutriments

LES PROTIDES OU PROTÉINES

Les protides sont formés d'acides aminés que l'organisme ne peut fabriquer et qui doivent être apportés par les aliments. Ils sont présents à la fois chez les animaux et les végétaux. Ils ont un rôle plastique, c'est-à-dire de construction : à partir de ces nutriments, notre organisme fabrique ses propres protéines, c'est-à-dire notre chair. Notre corps est constitué de quatorze kilos de protéines : c'est l'élément le plus important après l'eau. Un gramme de protéines donne quatre calories. L'apport en protéines est très important chez les enfants et les personnes âgées.

Les sources de protéines sont animales : la viande, le poisson, les œufs, le lait et le fromage. Mais il existe aussi des protéines végétales dans les céréales et les légumineuses, qui sont indispensables dans les régimes végétariens.

LES LIPIDES OU MATIÈRES GRASSES

Toutes nos préparations culinaires sont faites à partir des matières grasses, ou lipides, qui contiennent des acides gras bien connus, saturés et désaturés. Ils ont envahi les articles de diététique de toutes les pages nutritionnelles dans les hebdomadaires et les quotidiens. Ce sont des éléments énergétiques et caloriques (neuf calories au gramme) : le beurre, toutes les huiles, la crème du lait, les margarines. Ils intéressent directement les diabétiques, bien que ce soient les glucides qui sont particulièrement surveillés dans le régime de ces malades.

LES GLUCIDES OU HYDRATES DE CARBONE

L'homme ne peut pas faire la synthèse des glucides. Ils doivent être apportés par l'alimentation. Ce sont les végétaux à feuilles vertes pourvus de chlorophylle qui seuls peuvent fabriquer cette synthèse, grâce à l'énergie solaire. Ils sont à l'origine de toute vie. Un gramme de glucides apporte quatre calories.

Depuis quelques années les chercheurs ont établi une différence nutritionnelle entre les différents glucides de nos repas. Ils font état de glucides à absorption rapide et de glucides à absorption lente. Cette distinction est extrêmement importante pour le diabétique. Nous y reviendrons dans le chapitre «Éducation diététique du diabétique» (p. 40).

POURCENTAGE EN MATIÈRES GRASSES DES ALIMENTS COURANTS

Aliment	%	Aliment	%
Huile	100	Jambon cuit, fromage blanc	21
Saindoux	94	Olives	20
Moelle de bœuf	92	Bœuf (en moyenne)	18
Beurre	85	Sardines à l'huile (thon)	15
Margarine	83	Maquereau	14
Rillettes	56	Saumon	12
Amandes	53	Œuf entier	10,5
Eau de vie	52	Veau (en moyenne)	7
Noix	51	Vin (en moyenne)	7
Cacahuètes	49	Café	5
Saucisse, saucisson	40	Foie de veau, poulet	5
Jaune d'œuf, oie	33	Lapin, bière	4
Porc (en moyenne)	30	Lait	3,7
Gruyère	28	Huîtres	3,7
Brie, camembert	26	Cheval, homard bouilli	2
Hollande	24	Poissons (sauf exceptions)	0 à 2
Chocolat	23	Semoule	1,8
Roquefort	22		
Mouton (en moyenne)	22		

Yaourt	1,5	Légumes verts et fruits frais	– de 1
Pâtes	0,9	Pommes de terre	0
Pain	0,8		
Riz	0,4		

LES ÉQUIVALENCES GLUCIDIQUES

Aliments apportant 5 g de glucides:

⊙ 100 g de légumes à 5 % (contenant 5 % de glucides): asperges, aubergines, céleri en branches, courgettes, champignons, choucroute, chou, cresson, endives, épinards, fenouil, tomates, haricots verts, poireaux, potiron, olives;

⊙ 100 g de fruits: melon, pastèque;

⊙ 10 g de lait en poudre non sucré ou 100 cm3 de lait;

⊙ 1 morceau de sucre n° 4, seulement en cas de malaise hypoglycémique.

Aliments apportant 10 g de glucides:

⊙ 200 g de légumes à 5 %;

⊙ 100 g de légumes à 10 %: betteraves, carottes, navets, salsifis, oignons;

⊙ 100 g de fruits à 10 %: agrumes ou baies, oranges, mandarines, pamplemousses, fraises, framboises, groseilles;

⊙ 20 g de lait en poudre non sucré ou 200 cm3 de lait;

⊙ 20 g de pain.

Aliments apportant 15 g de glucides:

⊙ 100 g de fruits à 15 %: pommes, prunes, cerises, abricots, mirabelles, ananas frais, brugnons;

⊙ 100 g de légumes à 15 %: fonds d'artichauts, petits pois, flageolets, haricots frais;

⊙ 20 g de semoule, tapioca, pâtes, farine ou riz crus ;
⊙ 30 g de pain ou 2 biscottes.

Aliments apportant 20 g de glucides :
⊙ 100 g de fruits à 20 % : bananes, raisins, figues fraîches ;
⊙ 100 g de pommes de terre ;
⊙ 80 g de légumes secs cuits ;
⊙ 60 g de frites ;
⊙ 100 g de pâtes ou riz pesés cuits ;
⊙ 130 g de petits pois ;
⊙ 40 g de pain ou 3 biscottes ;
⊙ 50 g de marrons.

LES SELS MINÉRAUX

Les sels minéraux interviennent dans le fonctionnement des cellules et les transferts d'information dans les métabolismes les plus complexes de notre corps. Ils sont les régulateurs fondamentaux des processus biologiques.

Citons parmi les plus importants le fer, le sodium, le magnésium, le calcium...

LES VITAMINES

Ce sont des substances non énergétiques mais indispensables à l'organisme parce qu'il ne peut en faire la synthèse et qu'il doit les trouver dans la ration alimentaire quotidienne.

Notre alimentation occidentale très largement diversifiée nous apporte la quantité de vitamines indispensable. Pourtant quels sont ceux d'entre nous qui n'ont pas été tentés par quelques comprimés miracles sans trop savoir à quoi correspond cette thérapeutique ?

On attribue à ces substances que l'on croque à tort et à travers une valeur de protection contre la froidure et la fatigue de la mauvaise saison! Il est parfaitement inutile d'avaler des comprimés de vitamines à hautes doses et en automédication. C'est surtout la vitamine C qui semble jouir de tous ces privilèges.

Il existe des abus de thérapeutiques qui peuvent être graves surtout avec la vitamine A et son procarotène dont les amateurs de bronzage font un abus inquiétant.

L'EAU

Elle est présente dans tous les aliments, sauf l'huile et le sucre. L'eau est le support de la vie. Elle permet le transport de tous les éléments nutritifs dans chaque cellule du corps humain. On estime à deux litres l'apport d'eau nécessaire par jour à l'organisme.

Les groupes d'aliments

Pour plus de facilité et de compréhension, et pour ne pas retomber dans la sempiternelle classification de nos aliments en protides, lipides, glucides, sels minéraux et vitamines, je vous propose leur étude sommaire à partir de six groupes.

Le diabétique acquerra ainsi une connaissance pratique de la nourriture, et il pourra jongler avec les nutriments qui la composent. Il saura ainsi ne pas improviser des menus boiteux et déséquilibrés.

La viande

La valeur calorique de la viande varie surtout en raison de sa teneur lipidique (entre 200 et 300 calories pour 100 grammes).

La richesse en lipides dépend de la provenance du morceau et de sa qualité :

◎ *bœuf* : 200 calories. C'est la viande la plus riche ;
◎ *volaille* (poulet, filet, escalope de dinde, pintade) : 180 calories ;
◎ *abats* (foie de veau, rognons) : 120-130 calories ;
◎ *jambon dégraissé* : 120 calories.

Les poissons

Frais, surgelés, ou en conserve et non préparés, ils contiennent environ 120 calories pour 100 grammes. Même les poissons dits « gras » sont moins gras que la viande, et surtout leurs acides gras sont insaturés. C'est une nourriture légère et de choix pour le diabétique obèse.

Les coquillages et crustacés

Très pauvres en lipides et en calories. Ils apportent trois à cinq fois moins de lipides si on les compare aux viandes.

Les œufs

Un œuf à la coque ou dur, sans assaisonnement, vaut 70 calories.

Le plus « noble » des aliments contient à lui seul l'essentiel des nutriments indispensables.

Un abus peut faire augmenter le cholestérol. Comme presque tous les aliments, il doit être consommé « avec modération », selon le mot à la mode.

DEUXIÈME GROUPE : LE LAIT ET LES PRODUITS LAITIERS

Le lait et les produits laitiers forment une transition entre les protéines et les lipides. Ils sont à la base de la plus grande source de calcium de notre alimentation.

⊙ Un verre de lait entier : 180 calories.

⊙ Une cuillerée à soupe de lait en poudre : 60 calories.

⊙ Un verre de lait écrémé : 40 calories.

⊙ Une cuillerée à soupe de lait écrémé : 30 calories.

⊙ Un yaourt nature : 60 calories.

⊙ Deux petits-suisses : 90 calories.

Le fromage blanc porte depuis peu sur ses étiquettes la valeur exacte de sa teneur en lipides, en relation avec sa teneur en eau :

⊙ à 0 % : 40 calories pour 100 grammes (3 cuillères à soupe) ;

⊙ à 10 % : 80 calories pour 100 grammes ;

⊙ à 20 % : 120 calories.

Le fromage : sa valeur calorique varie avec la teneur en lipides, qui n'est pas toujours connue dans les fromages fermiers, fromages à 45 % de matières grasses type camembert (1/8 de camembert : 100 calories).

TROISIÈME GROUPE : LES FÉCULENTS

Ils comportent le pain, les céréales, les légumineuses, les semoules, les pâtes, les pommes de terre.

⊙ Pain, un quart de baguette – soit 50 grammes : 130 calories.

⊙ 4 biscottes : 140 calories.

⊙ 100 grammes de pâtes, de pommes de terre, de riz, de lentilles apportent 100 calories.

QUATRIÈME GROUPE : LES FRUITS ET LES LÉGUMES VERTS

On peut considérer qu'un fruit de 150 grammes environ apporte entre 50 et 100 calories, selon sa grosseur et sa teneur en sucre. Tous les légumes frais, surgelés, ou en conserve et non cuisinés, apportent entre 50 et 100 calories aux 100 grammes.

CINQUIÈME GROUPE : LES MATIÈRES GRASSES

Toutes les huiles : olive, maïs, tournesol, soja, colza, noix, sont d'origine végétale.

⊙ 1 cuillerée à soupe (10 grammes) : 80 calories.

La margarine et le beurre ont à peu près la même valeur calorique. La crème fraîche apporte trois fois moins de calories que le beurre.

SIXIÈME GROUPE : LES BOISSONS

L'eau du robinet, l'eau minérale, le thé, le café, l'eau de source, même sans sucre, aromatisée aux extraits de fruits n'apporte aucune calorie. *Idem* pour l'infusion.

⊙ Un verre de bière, un verre de vin (125 ml) : 80 calories.

Répartition des aliments

Tous les aliments que nous venons d'aborder doivent être consommés selon une répartition convenue par tous les nutritionnistes. On recommande 45 à 55 % de la ration énergétique globale et quotidienne couverte par des glucides, 30 à 40 % par des lipides, et 15 à 20 % par des protides. Pour calculer le nombre de calories d'une recette, le lecteur pourra se reporter au tableau «Calories d'une portion» (voir en annexes, p. 132).

C'est volontairement que nous n'avons pas étudié la teneur de chaque groupe en protéines, lipides et glucides, le régime étant établi sur le nombre de calories journalières. Pour ces différents paramètres, le lecteur pourra se référer au tableau «Principaux aliments pour 100 g de produit» (voir en annexes, p. 129).

⊙ On l'a vu, un gramme de protides donne 4 calories.

⊙ Un gramme de lipides apporte 9 calories.

⊙ Un gramme de glucides apporte 4 calories.

⊙ L'eau n'apporte aucune calorie.

ÉDUCATION DIÉTÉTIQUE DU DIABÉTIQUE

～

On pourrait aussi parler d'initiation : la plupart des patients qui prennent un beau jour conscience de leur maladie se voient tout à coup confrontés à des pratiques alimentaires qu'ils n'avaient jamais imaginées avant d'entrer dans le cabinet du médecin. Si ce patient est jeune, il est déjà soumis aux piqûres d'insuline deux ou trois fois par jour. Mais ce n'est pas tout ! Il est essentiel qu'il apprenne à contrôler sa glycémie, ce qui consiste à piquer trois fois par jour le bout de son doigt, à un endroit bien précis, de façon que la triple piqûre n'entraîne pas d'infection locale, toujours à craindre chez le diabétique.

Il lui faudra aussi noter, sur un carnet réservé à cet usage, le résultat des trois glycémies de chaque jour pour savoir ainsi jouer avec les dosages des injections d'unités d'insuline, le lendemain matin.

L'essentiel sera d'apporter une aide au malade sans le traumatiser. Interdire n'importe comment, d'une mine sévère, comme une punition, tout ce qui faisait la joie du patient avant sa mala-die, c'est aller vers un échec certain. Et parfois plus loin encore.

Si le malade est un gros personnage à la cinquantaine bien tassée, qui a vécu toute sa vie de bonne chère, il faudra avec talent et bonne humeur lui faire comprendre que l'on peut apprendre à bien manger et à manger bien, c'est-à-dire selon certaines règles à ne pas négliger.

Diététique et gastronomie ne sont pas forcément antagonistes. Que le malade soit ou non traité par l'insuline et les hypoglycémiants oraux – sulfamides ou biguanides –, qu'il soit de poids normal ou qu'il pèse lourd, le régime est indispensable. Il faut le dire et le répéter!

Pourquoi le régime est-il si important?

Nous l'avons compris, le taux de sucre sanguin doit être le plus près possible de celui de l'individu normal. Il faut éviter les grands écarts de la glycémie. Comment réaliser cet équilibre avec des injections d'insuline ou à l'aide des hypoglycémiants oraux qui n'agissent que par à-coups et de façon irrégulière? Seuls, ils ne peuvent neutraliser un apport sucré important, ils sont insuffisants si l'alimentation n'est pas adaptée.

Le régime est donc aussi important que les médicaments. On pourrait y ajouter l'exercice physique et le sport – qui est même recommandé sous certaines conditions et pour les malades les plus jeunes.

Le régime permettra donc:

⊙ un équilibre glycémique sans zigzag de la courbe de la glycémie;

⊙ un équilibre du poids sans amaigrissement, qui est de mauvais augure chez le diabétique insulino-dépendant, et sans excédent pondéral pour le diabétique obèse.

À long terme l'intérêt est encore plus important. Il permet de prévenir les complications qui surgiront si le malade néglige l'alimentation dirigée:

⊙ les affections cardiaques sous forme d'infarctus ;

⊙ les troubles de la vue : la rétinite diabétique est la plus grande cause de cécité de l'adulte ;

⊙ les artérites des gros vaisseaux, les fémorales, qui irriguent les membres inférieurs. Sources de malaises qui empoisonnent la vieillesse des diabétiques qui, au contraire, peuvent vivre vieux avec un diabète bien surveillé.

L'enquête alimentaire

Le malade n'a en général aucune idée du régime qui convient à sa maladie. Le médecin ignore totalement quels étaient le niveau alimentaire, les préférences et les goûts de son patient. Cela risque de tourner très vite au dialogue de sourds dans le face-à-face du cabinet. L'établissement d'un régime, quel qu'il soit, doit être personnalisé. La feuille polycopiée que le médecin ou le service hospitalier tendent négligemment au malade à la fin de la consultation, presque sur la porte, avec un air de dire « maintenant, débrouille-toi » ! est une espèce d'insulte à la diététique. Et cela est vrai pour tous les régimes, du plus simple pour la grosse personne qui a déjà tout essayé, au régime le plus sévère de l'insuffisance rénale.

Il peut arriver que le médecin se serve, pour préciser le régime, d'une feuille standard qui peut s'adresser à plusieurs types de malades, mais il doit expliquer comment utiliser le texte imprimé. C'est d'autant plus vrai pour le diabétique que le niveau calorique de l'alimentation de chaque malade doit être personnalisé. « Suivre un régime n'est facile que pour celui qui n'a pas essayé » (Pr Trémolières).

Qui n'a pas entendu parler de « calorie », mot associé à presque tous les régimes, et si galvaudé ! Ce mot abstrait et magique semble sortir des aliments que nous aimons le mieux comme le croque-mitaine de sa boîte.

Nous savons que le chocolat, le foie gras, le saumon fumé, le whisky, les plats les plus succulents, les sauces les plus fameuses contiennent un maximum de calories, mais combien savent seulement pourquoi ?

La calorie est l'unité d'énergie calorique. Elle est utilisée en biologie pour mesurer les échanges d'énergie de l'organisme avec son milieu ambiant. Dans sa définition brute, la calorie est la quantité de chaleur nécessaire pour élever de un degré la température de un gramme d'eau liquide.

Attention ! Il existe une nouvelle nomenclature européenne. La notation des aliments pourra être faite en kilojoules (kJ). Mais dans presque tous les aliments, actuellement, la déclaration de la valeur est faite dans les deux formules. Pour les aliments allégés, il est essentiel de pouvoir faire la comparaison. La plupart du temps, il suffit de lire pour facilement comparer.

Le médecin parle forcément de « calories », et dans l'esprit de beaucoup ce terme est seulement évocateur de ce que le Français déteste le plus : le « régime » !

QUE PROPOSE LE MÉDECIN ?

Le malade à peine réhabilité se précipite sur la « feuille ». S'il n'y voit que des interdits parce que le médecin est l'un de ces pinailleurs qui font reculer le patient, il sera tenté de mettre tout au panier. Il est souhaitable que le diabétique puisse se faire une idée avantageuse de son régime, d'autant plus qu'il devra le suivre toute sa vie.

Présenter une alimentation de façon positive est un atout pour une bonne compréhension de ce qui est possible et ne l'est plus. Ceci est essentiel pour le diabétique obèse, pour qui la bonne chère, le bistrot sympa, la cuisine soignée constituent sa joie de vivre. Il sera heureux et mieux disposé à suivre le régime s'il s'aperçoit que, finalement, il n'y a pas tellement d'interdictions catégoriques.

Dès qu'il aura envisagé avec son médecin, dans son cabinet et non plus à la maison – sous les yeux de sa compagne qui intervient le plus souvent maladroitement –, toutes les possibilités de cette nouvelle façon de se nourrir, le diabétique s'apercevra alors de sa liberté de choix, et s'appesantira moins sur ses contraintes.

COMMENT S'Y PRENDRE ?

En théorie le nutritionniste insiste sur un grand principe : au moins un aliment de chaque groupe doit entrer dans chacun des repas : le matin, à midi et le soir.

Comme le médecin n'a pas, malgré sa bonne mine et la longueur de sa consultation, tout à fait confiance en son malade, il va lui demander au moins pendant une semaine de noter tout ce qu'il mange, sur une feuille qu'il lui remettra à la prochaine rencontre.

C'est pour lui une façon de s'assurer de la coopération de son malade, et aussi de connaître ses goûts et ses répulsions parfois instinctives pour certains types d'aliments : par exemple, il existe des personnes qui ont «horreur du lait». Il faudra enseigner au diabétique qu'il peut le remplacer par d'autres aliments, mais pas n'importe lesquels, ce que nous expliquerons plus loin.

Le médecin pose la question : «Comment mangez-vous ?»

Réponse du patient : «Oh, normalement !»

C'est à cet instant que tout doit être précisé.

Qu'est-ce que ça veut dire, manger *normalement*?

Pour le chauffeur de poids lourds: il mange «normalement» à 4 000 calories tout en buvant 2 litres de vin par jour «sans jamais être ivre».

La jeune femme secrétaire mange «normalement» en dégustant un croque-monsieur au repas de midi entre deux courses, après avoir pris un café matinal rapide au bistrot que jouxte son bureau.

Ce sont deux cas extrêmes qui nécessiteront une éducation diététique en cas de découverte d'un diabète.

À ce stade de l'enquête et de toute tentative d'initiation de soutien à la thérapeutique, il convient d'être précis. Les formules générales ne sont pas de mise. Que signifie «moins» de sucre, «moins» de gâteaux, «plus» de légumes, une quantité de viande «raisonnable», «pas trop» de vin, de bière?

D'ailleurs ces formules vagues seront mal comprises par le diabétique, qui est déjà inquiet. Sans précision, comment va-t-il s'en sortir? Ce sera d'autant plus difficile que le diabétique s'assied le plus souvent à la table familiale, et que ce n'est pas lui qui fait la cuisine. Sans recettes, sans proportions chiffrées, comment la maîtresse de maison sera-t-elle capable de cuisiner de façon utile?

Si les directives générales se ressemblent, il n'existe pas de diététique standard. On ne parle pas nourriture de la même façon au PDG qui invite presque quotidiennement ses clients à déjeuner au restaurant, à l'étudiant qui se contente d'un hamburger, à l'ouvrier à la cantine, au représentant sur les routes, au sportif sur les stades, et au mari de grand-mère! Mais quelles que soient ses contraintes professionnelles, le diabétique fraîchement reconnu devra se soumettre à de nouvelles habitudes alimentaires concernant la quantité et la qualité des aliments. Et, conséquence de nos explications précédentes, le premier achat du diabétique est une balance de ménage, qu'il devra installer dans un endroit pratique et facilement accessible de la cuisine.

On en fabrique actuellement d'extrêmement précises sur lesquelles le poids des aliments s'affiche au gramme près.

Rassurez-vous, nous n'allons pas vous proposer de vous nourrir au gramme et à une calorie près!

Mais, au moins au début, cette servitude est essentielle pour se rendre compte de la quantité de nourriture possible sans dépasser un niveau calorique préétabli.

C'est aussi une manière de libérer le malade. Il saura apprécier en toutes circonstances le volume de sa ration.

Cet assujettissement deviendra vite une libération, une accoutumance, et bien vite la balance ne sera plus utilisée que pour une simple vérification.

La question des glucides

Tout le monde sait que le diabétique ne doit pas manger de sucre. Mais ce n'est pas aussi simple qu'il y paraît.

Se contenter de supprimer le sucre, c'est à la fois commettre une erreur diététique et afficher une méconnaissance de l'évolution du diabète.

LA RATION DE GLUCIDES

Pour le diabétique sous insuline

Pour un diabétique sous insuline, elle doit être établie de façon journalière et en relation avec la ration d'un individu normal du même âge.

Elle doit se conformer à l'équilibre nutritionnel selon la règle connue: 50 % de la ration totale.

Le malade devra savoir apprécier la quantité de glucides contenue dans les principaux aliments. Il est évident qu'ils n'ont pas tous la même teneur et qu'ils contiennent d'autres nutriments : les lipides, surtout, devront être surveillés de près.

Un jeune diabétique de poids normal mangera de façon pratiquement identique à celle d'un enfant du même âge, non diabétique. Mais il devra régler ses injections d'insuline non sur la quantité de glucides de sa ration, mais sur le dosage de sa glycémie – comme nous l'avons expliqué.

Pour le diabétique obèse

Au contraire, le diabétique obèse diminuera sa ration de glucides comme dans tout traitement de l'obésité. Le but étant de revenir à un poids normal, ce qui dans presque tous les cas ramènera la glycémie à la normale sans traitement hypoglycémiant.

LA RÉPARTITION DES GLUCIDES

Les glucides doivent être répartis dans la journée en trois prises principales, et, souvent, on conseille deux collations entre les repas : dans la matinée et dans l'après-midi. Chez certains malades, on ajoute une légère prise alimentaire avant le coucher.

LA QUALITÉ DES GLUCIDES

Tous les sucres ne se ressemblent pas. Le glucose, le fructose, le galactose se rencontrent, pour le premier, dans notre sang, les deux autres successivement dans les fruits, le miel, le lait. Le saccharose, quant à lui, est celui que nous achetons chez l'épicier.

Le goût du sucre est inné et génétiquement déterminé. La consommation de sucre ne cesse de progresser. Il existe une consommation considérable de sucres cachés qui se trouvent dans les boissons rafraîchissantes, les *ice-creams*, les sorbets. Le sucre est partout, même dans les aliments où on l'attend le moins, par exemple : le saucisson, de nombreuses préparations industrielles, les conserves, les préparations surgelées, et évidemment les fruits, les desserts et les produits de la confiserie.

Mais tous les aliments glucidiques n'augmentent pas la glycémie de la même façon. Tous les glucides ne sont pas absorbés de la même manière au niveau du tube digestif.

Glucides à absorption rapide

Les sucres dits «rapides» représentent ceux que nous venons de décrire. Citons-les pour préciser : le sucre en morceaux, le sucre semoule, le chocolat, les glaces, les pâtes de fruits, les confiseries, les jus de fruits du commerce, le miel, les confitures, le Coca-Cola®, les sirops de fruits et ceux destinés à traiter une toux, par exemple, etc.

Ils demandent un effort aux mécanismes stabilisateurs de la glycémie. Le diabétique les consommera le moins possible. Il devra cependant, s'il est traité par insuline, avoir toujours dans sa poche trois ou quatre morceaux de sucre en cas de malaise hypoglycémique.

Glucides à absorption lente

Très différents dans leur aspect mais pourtant sensiblement composés des mêmes éléments, les glucides «lents» sont représentés par les féculents. Ils traversent le tube digestif moins vite et permettent à la glycémie de monter moins rapidement.

On trouve dans cette catégorie :

⊙ les farineux, le pain, les biscottes, le riz, les pommes de terre, les lentilles, les haricots, les pois chiches, les fèves, les semoules, le couscous ;

⊙ certains fruits oléagineux : les bananes, les noix, les noisettes, les amandes ;

⊙ le lait et ses dérivés : les yaourts.

Ils sont autorisés en quantités qui doivent être strictement respectées et même pesées, du moins au début du régime, tant que l'œil du patient n'est pas encore suffisamment exercé.

Les diabétologues ont voulu décrire une troisième variété de glucides qui traversent très lentement la barrière digestive et entraînent une montée très étalée de la glycémie : ce sont des légumes verts, qu'ils soient rouges comme la tomate, verts comme le haricot, blancs comme le chou-fleur. Là, toute liberté est de mise : ne vous privez pas de légumes.

Il faut savoir se méfier de fausses notions : ainsi la carotte n'est pas plus «sucrée» que n'importe quel autre légume. Au contraire, elle contient plus de sodium (sel) ; de même pour les petits pois et le melon.

Nous remarquons que les glucides sont largement répandus dans la nature et constituent la plus grande partie de l'alimentation de l'homme. Mais existe-t-il des aliments sans glucides ?

ALIMENTS SANS GLUCIDES

Ils sont d'origine animale : la viande, le poisson, les œufs, le jambon, les abats, les volailles. Ils sont riches en matières grasses et acides gras saturés. Il ne faut donc pas en abuser. Les aliments sans glucides d'origine végétale sont tous des huiles. Il est bon d'en changer périodiquement, alternativement : tournesol, arachide, maïs, colza et, la plus intéressante de toutes, l'huile d'olive. Elles sont formées d'acides gras insaturés, bons pour les excès de cholestérol et les artères.

Le diabétique a intérêt à donner la préférence à la cuisine à base d'huile ; le beurre et la crème seront réservés à certaines préparations épisodiques.

Attention aux margarines, il faut savoir les choisir, regarder à partir de quelle matière grasse elles sont fabriquées, et laisser de côté celles qui ne comportent que des acides gras saturés. Les margarines... c'est une jungle !

Il est préférable de faire la cuisine à l'huile et de se contenter d'une petite quantité de beurre frais sur les légumes cuits à la vapeur.

RÉSUMONS

Vous connaissez, si j'ose dire, « la matière première », y compris trois éléments essentiels.

1. Presque tous les aliments contiennent des glucides, sauf les huiles, etc.

2. Tous les glucides n'intéressent pas le diabétique de la même façon.

3. Une ration de 50 % de calories glucidiques quotidienne est souhaitée, à répartir entre les différents repas.

À partir de là, il faut jongler avec les différents aliments.

Les équivalences alimentaires

Les équivalences alimentaires donnent au diabétique la possibilité d'effectuer un troc, c'est-à-dire « l'échange direct d'un produit pour un autre ».

Mais si vous ne voulez pas être perdant dans cet échange, il faut troquer des produits de la même valeur. Si dans le repas vous remplacez la viande par un fruit, ou des pommes de terre par du fromage, il est évident que vous êtes dans l'erreur.

Ces impairs, qui pour un individu normal ne peuvent être préjudiciables qu'à la longue, sont pour le diabétique à l'origine de graves troubles de la glycémie. Ce sont ces mystérieuses équivalences qui permettent de bien ordonner la ration journalière du patient et de ne pas tomber dans la plus triste monotonie.

Chaque aliment d'un groupe a sa valeur nutritionnelle propre, et il n'est pas bon de le substituer à un aliment d'un groupe différent.

On échangera donc :

⊘ un féculent pour un autre ;
⊘ un fruit pour un autre fruit ;
⊘ une viande pour du poisson ou deux œufs ;

LES ÉQUIVALENCES ALIMENTAIRES

20 cl de lait = 10 g de glucides
= 45 g de fromage

1 yaourt nature = 5 g de glucides
= 2 petits-suisses à 30 %
= 100 g de fromage blanc maigre = 1 ramequin
= 10 cl de lait demi-écrémé

15 g de pain = 7,5 g de glucides
= 1 biscotte
= 10 g de farine, semoule, Maïzena®, tapioca, pâtes, riz (pesés crus)

200 g de légumes verts à 7 % de glucides (moyenne) = 15 g de glucides
= 75 g de pomme de terre
= 100 g de petits pois, fonds d'artichauts
= 150 g de carottes, betteraves, oignons, céleri rave, choux de Bruxelles

100 g de pomme de terre = 20 g de glucides
= 100 g de pâtes cuites = 25 g de pâtes crues
= 100 g de riz cuit = 25 g de riz cru
= 100 g de légumes secs cuits = 35 g de légumes secs crus
= 130 g de flageolets verts
= 100 g de banane

Fruits = 12 g de glucides
= 100 g de fruits à 12 % de glucides
  (prune, pêche, mandarine, abricot, ananas, mûre)
= 60 g de fruits à 20 % de glucides (raisin, banane, figue)
= 80 g de fruits à 15 % de glucides (brugnon, poire, pomme,
cerise, framboise)
= 120 g de fruits à 10 % de glucides (orange, pamplemousse,
  cassis, fraise, groseille verte)
= 10 cl de jus de fruits ou 100 % pur jus de fruit non sucré

100 g de viande = 200 calories
= 100 g de poisson
= 2 œufs
= 75 g de jambon

10 g de beurre = 75 calories
= 15 g de lard
= 2 cuillerées à soupe rases de crème fraîche

10 g d'huile = 90 calories
= 1 cuillerée à soupe
= 1 cuillerée à soupe rase de mayonnaise

⊙ les légumes peuvent être échangés entre eux ;

⊙ les céréales entre elles, le riz par du pain, ou des lentilles.

Nous citerons quelques exemples :

⊙ le chocolat, qui contient des glucides à absorption rapide et des lipides, ne peut remplacer ni le pain, ni les légumes ;

⊙ même si le lait contient la même quantité de glucides que le pain et les fruits, ceux-ci ne peuvent remplacer le calcium du lait. En revanche un quart de litre de lait entier peut être remplacé par cinquante grammes de fromage ;

⊙ si vous préférez les huîtres, une douzaine de claires équivaut à cent grammes de viande ;

⊙ on peut remplacer une huile par une autre. On a même intérêt à pratiquer ainsi puisque huiles, margarines, saindoux et beurre ont à peu près la même valeur calorique si l'on ne tient pas compte des acides gras saturés et insaturés ;

⊙ la crème est trois fois moins calorique que le beurre. Ainsi dix grammes de beurre peuvent être remplacés par trente grammes de crème. Cette façon de faire à laquelle la cuisinière pense rarement est très agréable pour parfaire une recette de potage, et nous la trouverons dans de nombreux menus.

Les boissons

Le diabétique doit aussi prendre en compte les différentes boissons dans son régime. Les contraintes sont différentes avec les deux sortes de diabète.

DIÉTÉTIQUE POUR LES DIABÉTIQUES AYANT UN POIDS ÉLEVÉ

❧

Nous savons maintenant qu'il existe deux sortes de diabétiques, qui auront chacun un comportement complètement différent devant l'alimentation. Pourtant, le but du régime et celui du médecin qui le conseille est le même : maintenir à un niveau normal la teneur du glucose dans le sang du malade.

Les diabétiques obèses sont les plus nombreux. Ils sont un million en France, recensés et traités comme tels. En réalité, ils sont certainement plus nombreux.

La notion du « mal manger » évoque en fait une simple constatation : dans les pays occidentaux, les individus sont victimes de ce qu'ils considèrent comme leur bien-être, ce que d'autres appellent la civilisation, la « société de consommation ». On peut aussi dire de *surconsommation*.

Tout a été dit et écrit sur l'obésité, et, malgré cette importante littérature, il y a encore 12 millions d'obèses en France. Certains optimistes font état de 9 millions.

Quoi qu'il en soit, on se demande s'il est possible d'en parler sans tomber dans des répétitions oiseuses !

Et pourtant, deux cent mille tonnes de graisses en trop (statistiques en main) chez ces Français qui courent après les régimes les plus ineptes et les plus dangereux, les médicaments les plus insolites, les cures thermales les plus onéreuses, un véritable marché de la minceur pour essayer de répondre à cette question : comment maigrir ?

Il n'existe qu'une seule réponse : en mangeant peu, de tout, raisonnablement et régulièrement, toute sa vie durant.

Cependant, j'ajouterai à cette sentence pleine de bon sens : en faisant la fête à l'occasion, avec « modération » !

Hélas, il semble que cette technique, cette formule visant à la bonne santé ne soit pas facilement suivie par les habitants des pays civilisés.

Cette surcharge alimentaire se traduit d'abord par un excédent pondéral plus ou moins important. Quelle qu'en soit l'intensité, on voit bien vite apparaître des anomalies de fonctionnement des différents métabolismes glucidiques, lipidiques, souvent associés, s'aggravant l'un l'autre, créant des maladies qui restent longtemps secrètes et que révèle seul le laboratoire. C'est ce qui nous intéresse ici.

Cependant, quelques signes avant-coureurs de la maladie pourraient inciter l'obèse à tenter d'enrayer l'évolution vers un futur pathologique plus grave.

Quels sont ces avertisseurs, si souvent négligés par le patient ?

⊙ Une certaine fatigue en montant les escaliers ;

⊙ une gêne respiratoire à la marche contre le vent ;

⊙ une difficulté à lacer ses souliers ;

⊙ les pieds froids en toute saison, preuve que le sang a quelques obstacles plus ou moins importants à franchir ;

⊙ un mal de tête mal corrigé par un antalgique ;

⊙ un état nauséeux au lever en se lavant les dents ;

⊙ il faudrait intervenir avant que ne se décèle un diabète associé à l'hyperlipémie, à l'hypertension, souvent à la goutte.

Attention aux régimes à hauts risques !

Première directive : ne pas se lancer dans n'importe quel régime amaigrissant.

Soit que le diabétique est un impulsif chez qui «sitôt dit sitôt fait» est sa formule du moment, le voilà fonçant tête baissée dans l'un de ces régimes qui fleurissent tous les printemps sur les hebdomadaires féminins.

Soit que le malade désire faire plaisir à son médecin – «Vous allez voir de quoi je suis capable» –, et il se jette sur une alimentation totalement carencée «pour que ça aille plus vite».

Soit que le diabétique est séduit par quelque sorcier en vogue : plus le régime lui semblera magique, ésotérique, répondant au goût du merveilleux qui sommeille dans le cœur de chacun de nous, plus il s'éloignera de la raison, plus il sera séduisant... et éloigné de ce que recommandent tous les diabétologues.

En général, ces régimes transmis de bouche à oreille ne sont pas dangereux car ils ne peuvent être suivis longtemps par un patient non diabétique, et on s'en lasse très vite. Mais pour un diabétique qui devra suivre son régime toute sa vie, cela devient le régime de tous les dangers.

Ainsi, il y a quelques années, le «régime bananes» a fait fortune pendant un moment. Il était très facile de se procurer ce fruit parfumé, chargé de soleil : dix bananes par jour, c'était le menu moyen exclusif en prises multiples. Au bout d'une semaine, l'amateur de bananes ne peut même plus en supporter l'odeur. Mais ce régime amène rapidement le diabétique chez le médecin.

Autre fruit sentant les odeurs poivrées des pays chauds : l'ananas. Même remarque, plus grave encore à cause de la quantité de sucre du fruit.

Quant au régime Atkins, si répandu parmi les hommes qui désirent maigrir, il est à la fois dangereux et toxique pour le diabétique obèse, presque toujours hypercholestérolémique et hypertendu. Non seulement le diabétique doit surveiller les glucides, mais aussi les lipides.

Je citerai également pour mémoire ces «repas minceur» qui remplacent soit-disant un repas, qui sont antidiététiques et un danger pour le diabétique.

D'autres régimes sortent de l'ombre périodiquement. Ils ont leurs adeptes.

Ainsi le régime de la MayoClinic pourrait vous séduire une semaine ou deux! C'est d'ailleurs le laps de temps recommandé pour la durée de l'observation du régime. Après, les directives sont imprécises. Je suppose qu'il convient de soigner la «crise de foie», comme disent les Français! Il faut surtout que l'obèse concerné aime les œufs, et même qu'il les adore, pour en manger quatorze par semaine!

Vous avez compris que le diabétique, avec son taux de cholestérol sous surveillance, doit s'éloigner d'une alimentation aussi farfelue.

Le régime dissocié ou alterné ou en «zigzag» conseille de se nourrir toute la journée du même aliment. Le programme est établi pour une semaine. Vous pouvez vous imaginer ce que devient la glycémie du diabétique la journée où il ne consomme que des fruits.

Et enfin, que penser du zen macrobiotique dont les adeptes sont si maigres? Ils sont maigres parce que la malnutrition va de pair avec le zen. Ce sont des pratiques nutritionnelles des moines bouddhistes qui sont déterminées ancestralement et philosophiquement de la même manière que dans les ordres contemplatifs occidentaux. On ne voit pas du tout ce que les uns et les autres pourraient apporter et comment ils pourraient servir de modèle à celui qui veut perdre des kilos. Mais alors, que le diabétique se tienne éloigné de ces techniques alimentaires. Cette nourriture hypersalée, sans boisson, hypercarencée en protéines, vitamines et oligo-éléments est un poison pour le diabétique.

Il faut ajouter à ces étranges modes alimentaires celle qui résulte de l'autoprescription. Voulant bien faire et augmenter l'efficacité de son régime, le malade élimine progressivement un ou plusieurs aliments, sources de nutriments essentiels, dans la ration quotidienne. On arrive alors à un régime trop restrictif, à des méfaits s'il est long-temps poursuivi, et à un déséquilibre nutritionnel.

En résumé le régime du diabétique obèse sera un régime à la fois hypocalorique et équilibré.

Mais il y a deux vertus dans le catéchisme de celui qui a décidé de maigrir : détermination et persévérance.

Si, pour la plupart des gros, c'est une sorte de refrain populaire – «J'ai cinq kilos à perdre» –, pour le diabétique c'est une affaire tout à fait essentielle.

Comment traiter le diabète de l'obèse : le régime hypocalorique

C'est très simple : en traitant l'obésité par un régime qui doit correspondre à deux caractéristiques. Il doit être hypo-calorique et équilibré. La plupart du temps, les médicaments hypoglycémiants sont inutiles. Le régime doit être suivi de manière permanente. Votre état de santé s'améliorera selon votre bon vouloir, votre coopération et une certaine discipline alimentaire.

Le régime hypocalorique, improprement appelé «basses calories», est le plus intéressant à long terme, ce qui est essentiel pour le diabétique obèse qui ne devra jamais s'en écarter. Il correspond à notre logique alimentaire ances-trale, à notre façon de vivre et de nous comporter devant l'alimentation. Il permet au diabétique de mener une vie normale, à la maison, en famille, au travail, au restaurant, même les jours de fêtes. Moyennant quelques adaptations et quelques règles très simples, il laisse le diabétique vivre à sa guise et comme tout le monde.

UN RÉGIME VARIÉ

Ce régime de restriction calorique respecte nos besoins physiologiques de nutriments aussi divers que les protides, les lipides et les glucides. Les vitamines et les sels minéraux sont conservés pour le fonctionnement de nos métabolismes. La variété des nutriments contenus dans les aliments est indispensable à notre santé. Ils doivent arriver sur notre table dans les proportions dont nous avons parlé.

Le régime hypocalorique n'est pas un régime de privations, mais la façon dont vous allez suivre ce régime a une importance majeure. À la première question que pose le malade – «Docteur, qu'est-ce que je peux manger?» –, si la réponse est: «De la viande grillée, des légumes verts, des yaourts et des pommes», ce n'est qu'une caricature de régime qui ne ressemble en rien au choix alimentaire du diabétique obèse.

C'est en faisant varier les différents éléments de la ration quotidienne, en créant des déséquilibres contrôlés entre eux, tout en respectant certains niveaux caloriques fixés selon chaque malade, que l'on arrive à contrôler la glycémie et les autres paramètres de la maladie diabétique.

Si on veut suivre la dénomination classique employée par tous les nutritionnistes, ce régime est:
⊙ hypocalorique: niveau calorique total plus ou moins bas;
⊙ hypolipidique: peu de graisse;
⊙ hypoglucidique: relativement peu de protides;
⊙ hyperhydrique: beaucoup de boissons.

C'est un régime limitatif qui n'est hyperprotidique que par référence aux autres composants de la ration, puisque dans ce tout, la part des glucides et des lipides diminuant, celle des protides augmente nécessairement. Cela ne veut pas dire que l'on peut manger dans la journée autant de protides que l'on veut. Celui qui veut perdre du poids ne va pas avaler 500 grammes de viande ou de poisson à chaque repas. Ce régime relativement hyperprotidique devra faire partie de la vie du patient. Il sera établi par le médecin selon l'embonpoint de chacun, et jamais à partir du niveau de la glycémie. Nous donnerons, dans la seconde partie de cet ouvrage, des régimes types établis à des niveaux caloriques différents (voir chapitre «Menus pour diabétiques obèses», p. 84).

Ainsi la ration alimentaire de restriction calorique doit être étudiée et calculée pour chaque diabétique en particulier.

C'est ici qu'entre en jeu la balance que nous avons déjà rencontrée : «La balance de ménage est au diabétique obèse ce que la seringue d'insuline est au diabétique insulino-dépendant.» Ainsi s'exprime l'équipe du Pr Apfelbaum de l'hôpital Bichat.

Le calcul de la ration alimentaire

Prenons un exemple pour illustrer la nécessité de peser la quantité des aliments qui composent le repas.

Soit un homme, d'environ 50 ans. Il travaille dans un bureau. Petit déjeuner totalement négligé : «Le matin, je ne peux rien avaler.» À 10 heures : un café bien serré avec deux sachets de sucre. Résultat : une hyperglycémie consécutive avec faim et malaise.

Midi à la cantine, ce peut être : une entrée, un seul plat qui cale bien, voire un fromage, et trois desserts, deux yaourts aux fruits ou deux fruits, un gâteau.

À 16 heures, de nouveau un café sucré.

Le soir à la maison, repas convivial en famille : « On se retrouve, on raconte, on mange... » On mange quoi ? Une entrée faite souvent de charcuterie, un plat de viande, des frites, au mieux des légumes bien assaisonnés, une salade remplie d'huile, un fromage et un dessert pour les enfants, mais dont profite toute la maisonnée.

En termes de calories et de répartition, on arrive au résultat suivant :

⊙ le matin : 0 calorie ;

⊙ à midi : 800 à 1 500 calories ;

⊙ au dîner : 2 000 calories.

Total : 3 500 calories très mal réparties avec des sucres à assimilation rapide les plus nuisibles pour le diabétique, en dehors des repas, le moment le plus mal choisi.

Pour un personnage assis à son bureau, c'est l'excédent pondéral à brève échéance avec toutes ses misères.

Le régime en chiffres

Celui qui doit maigrir sur ordonnance devra savoir que pour perdre un kilo il faut un déficit calorique de 7 000 à 8 000 calories.

C'est-à-dire que c'est seulement lorsque vous aurez diminué votre ration calorique de 8 000 calories que la balance marquera un kilo de moins. Ainsi, si vous absorbez 2 400 calories par jour et que vous vous restreignez à 1 200 calories – soit une perte de 1 200 calories –, il vous faudra à peu près une semaine pour perdre un kilo.

Si vous absorbez un nombre de calories élevé – 4 000 ou 5 000 par jour – et si vous passez à 2 000 calories, vous maigrirez sans devoir vous priver plus durement.

1. Observer le régime prescrit et ne pas y apporter de modifications par vous-même.

2. Observer le niveau calorique et glucidique établi par le médecin avec l'aide des tableaux.

3. Fractionner l'alimentation en trois repas de calories égales.

Les conditions pour un bon régime

BIEN MANGER

Il convient de :
- ne manger ni sauces, ni fritures ;
- remplacer le sucre par des édulcorants ;
- ne sauter aucun repas ;
- éviter les repas à l'extérieur au début du régime ;
- manger calmement et lentement, en mastiquant : la satiété vient au bout d'un quart d'heure ;
- ne pas grignoter, et, surtout, pas de sucreries ;
- commencer le repas par de la salade ou une crudité avec un assaisonnement convenu.

BIEN BOIRE

Il convient de :
- ne pas boire d'alcool : il fait grossir et stimule l'appétit ;
- boire un litre d'eau par jour : un verre avant et après le repas ;
- boire ou pas pendant le repas, ça n'a pas d'importance.

BIEN SE PESER

Votre poids de l'âge de 20 ans n'est pas forcément le poids idéal. Inutile de monter tous les jours sur la balance :

la perte de poids ne démarre pas toujours très vite. La première pesée ne doit intervenir que dix à quinze jours après le début du régime. Se peser le même jour de semaine en semaine, dans la même tenue, de préférence le matin à jeun et après être allé aux toilettes.

CONSEILS DE CHOIX ALIMENTAIRES

⊚ Apprendre à aimer le café et le thé sans sucre.

⊚ Éliminer le gras du jambon et de la viande.

⊚ Choisir de préférence le poisson, le lapin, le poulet et autres volailles.

⊚ Être fidèle au lait écrémé qui, privé de ses calories lipidiques, ne représente que la moitié de sa valeur énergétique.

⊚ Se méfier des sauces qui peuvent doubler la valeur d'une viande, par exemple.

⊚ Manger des fruits et non des tartes, rayer la pâtisserie des menus.

⊚ Remplacer l'huile par de la crème fraîche, trois fois moins calorique.

⊚ Remplacer la vinaigrette habituelle par une formule donnée dans les recettes de sauces, en p. 115.

FAIRE ATTENTION AUX RYTHMES BIOLOGIQUES

Ils sont importants pour le diabétique.

Tous les processus biologiques connus varient de façon périodique et prévisible. L'ensemble des cellules et des grandes fonctions de notre corps est concerné. La fonction digestive, et par conséquent la nutrition, n'y échappent pas. Ces rythmes sont modulés par des synchroniseurs: l'alternance de la nuit et du jour, de l'activité et du repos. L'étude des rythmes biologiques montre que l'homme est diphasique : par exemple, l'activité des glandes surrénales est plus forte le matin au moment du réveil. Cette hormone favorise non seulement l'effort musculaire (donc le lever) mais aussi la production de sucre : un point important pour le diabétique. On comprend alors les recommandations au sujet du petit déjeuner : ni sucre, ni confiture.

La régularité dans le rythme alimentaire est une source d'équilibre et ne signifie pas monotonie. Bousculer les heures de repas est pour le diabétique une source d'anxiété. Les réceptions, les réunions familiales le rendront mal à l'aise, l'attente du repas le rendra nerveux et la tentation du grignotage sera catastrophique pour son embonpoint.

FAIRE JOUER LA SOLIDARITÉ FAMILIALE

Voici le diabétique installé dans sa famille. Il a écouté très attentivement les explications de son médecin. Il est plein de bonne volonté, il a compris l'intérêt du régime.

Si le patient est une femme, pas de problème : elle se débrouillera toute seule.

La situation est plus délicate si c'est Monsieur. Il devra faire confiance à sa femme, car, si Monsieur aime parfois mettre la main à la pâte, c'est seulement pour les grandes occasions.

Ainsi ce voyageur de commerce qui envisageait de prendre sa retraite et de perdre quelques kilos. Il n'était pas préoccupé de se retrouver inactif mais de ce que sa femme refusait de faire la cuisine ; danse et yoga semblaient la faire vivre, un seul menu toute l'année : le steak-salade. Quel régime prescrire à ce malheureux qui, depuis quarante ans, se nourrissait hors de chez lui de tout ce qui lui tombait dans l'assiette ? C'est la compagne qu'il faudra alors persuader de la nécessité du régime.

Embarquez-vous à deux, et pourquoi pas en famille, sur la galère d'une alimentation pensée ; elle peut devenir grâce à vous une excursion en bateau de plaisance et, pourquoi pas, une merveilleuse croisière au pays du bien-manger et du mieux-vivre. Adoptez la manière douce et stricte.

Sur le plan pratique, au début, préparez-lui un plateau qu'il amènera à la table familiale. Il prendra ainsi l'habitude de l'ensemble du choix des aliments et de leur quantité. Affichez à l'intérieur d'un placard la table des calories et des glucides, et ne vous laissez pas entraîner, pour ne plus l'entendre gémir, à quelques libéralités.

Munissez-vous des ustensiles indispensables qui faciliteront votre cuisine : poêles anti-adhésives, Cocotte-minute. Il existe des sortes de cocottes en terre spéciale dans lesquelles on peut cuire sans matière grasse.

« ORGANISER » LES LIPIDES

Pour le diabétique, c'est essentiel ! Presque aussi important que le sucre. Nous mangeons tous beaucoup trop de matières grasses, parfois plus de 100 grammes par jour. Il faudrait descendre au-dessous de 60 ou 80 grammes. 20 grammes de plus ou de moins par 24 heures, qu'est-ce que ça fait ?

Attention à la tartine ! Au bout d'un an, ce sont environ 7 kg de graisse en trop qui circulent dans les artères, se collent sur leurs parois. Ce qui fait 45 000 calories formant des réserves adipeuses à éliminer.

Nous savons tous qu'une simple diminution des lipides et des sucres de notre alimentation peut sauver l'avenir de la santé. Il existe des « gens du Nord » et même des enfants, qui absorbent 750 grammes de frites par jour. Et là, à la quantité de lipides, il faut ajouter le sel, générateur d'hypertension. Alors pour le diabétique obèse, quelle erreur !

⊙ Choisissez de préférence les viandes les moins grasses, le poulet, le filet de dinde, le lapin, le pigeon.

⊙ Ne laissez pas le beurre sur la table, ne versez pas l'huile sur la salade. Mesurez avec une cuillère à soupe.

⊙ Retirez la barde de lard des rôtis.

⊙ Confectionnez vous-même vos sauces minceur.

⊙ Ne déglacez pas vos poêles.

⊙ Ne faites pas la cuisine au beurre mais à l'huile, en alternant huile d'olive, noix…

LES PRODUITS DE SUBSTITUTION : LES ÉDULCORANTS

Si le diabétique ne peut pas supporter la privation de goût sucré, il a à sa disposition des produits de substitution qui n'ont aucune valeur calorique. Ils sont présentés en comprimés, en poudre, en liquides. On les utilise comme le sucre, et on peut les faire cuire. Le plus ancien est la saccharine. Elle a aidé des générations de diabétiques. Elle est remplacée par de nouvelles molécules. Il ne faut cependant pas abuser de ces produits. S'ils ne sont pas dangereux, ils ne sont pas forcément utiles. Pourquoi ajouter à une alimentation déjà trop chimique un élément artificiel supplémentaire ?

On les trouve depuis quelques années dans les magasins de diététique et dans les grandes surfaces. Les diabétologues recommandent d'utiliser de préférence l'aspartam.

LES PRODUITS ALLÉGÉS OU « LIGHT »

Là aussi, il faut se méfier. Les diabétologues et les nutritionnistes n'aiment pas beaucoup les aliments allégés. Il semble que quelques tours de passe-passe leur enlèvent leurs qualités diététiques et que, dans ce maniement de nutriments, on les avilisse.

Ce sont des aliments qui contiennent moins de calories glucidiques ou lipidiques tout en conservant les caractères, le goût, la texture, l'aspect, la saveur de l'aliment traditionnel. C'est l'industrie agro-alimentaire qui est chargée de ces sortes de manipulations.

Les parties grasses et sucrées sont remplacées par des substances, par exemple des édulcorants ou des protéines de soja...

Aliments allégés en glucides

Certains produits dits «sans sucre» peuvent être fabriqués à l'aide de sirop de glucose, qui facilite le travail du fabricant. Pour le diabétique, ce sirop de glucose, c'est du fructose qui a le même devenir dans l'assimilation des glucides. Il est transformé en glucose et fait donc partie des nutriments sous surveillance.

De même, la dénomination de «produits diététiques» n'autorise pas le malade à les consommer sans regarder.

L'usage de tous ces produits de la technologie alimentaire doit faire l'objet de la plus grande attention du diabétique et de son entourage.

Avis à la maîtresse de maison qui a sous son toit un diabétique : ne remplissez pas le réfrigérateur de toutes sortes de yaourts sucrés, les armoires de chocolats et de bonbons. Ce n'est bon pour personne, et surtout pas pour les enfants !

Boissons

C'est un grand progrès pour les diabétiques. Tous ces produits dont la jeunesse fait une consommation quotidienne sont presque vides de calories, donc sans glucides. Voici quelques comparaisons (sodas, jus de fruits, cocas) :
⊙ boissons normales : 500 calories et 120 grammes de glucides par litre ;

⊙ boissons allégées mais édulcorées aux cyclamates ou à l'aspartame : 2 calories par litre et 0 gramme de glucides.

Entremets

Flans :

⊙ normaux : 100 calories par portion et 15 grammes de glucides ;

⊙ allégés : 50 calories par portion et 5 grammes de glucides.

Mousses au chocolat :

⊙ normales : 180 calories par portion et 25 grammes de glucides ;

⊙ allégées : 120 calories et 10 grammes de glucides.

Compotes de fruits :

⊙ normales : 100 calories pour 100 grammes et 25 grammes de glucides ;

⊙ allégées : 70 calories pour 100 grammes et 15 grammes de glucides.

Le *chocolat allégé*, s'il contient un peu moins de sucre que le chocolat normal, contient à peu près autant de calories. Il n'est pas conseillé, il vaut mieux garder cette friandise pour un cas exceptionnel et pour la menace d'hypoglycémie.

Les *bonbons* : tout le monde peut se passer de ce super-flu, et à plus forte raison le diabétique. Allégés ou pas, la quantité de glucides varie peu. De toute façon, il faut ouvrir l'œil et vérifier les étiquettes sur tous les produits dans les marques qui ne vous sont pas usuelles.

Aliments allégés en lipides

Ce sont essentiellement le lait et les yaourts.

Il faut savoir que le lait commercialisé sans étiquette rouge n'est plus entier mais standardisé à un taux fixé par décret. Ce lait dit « entier » apporte 3,4 grammes de lipides pour 1 litre.

Le lait demi-écrémé ou « allégé » sous étiquette bleue en contient 1,5 à 1,7 gramme par litre.

Le lait écrémé sous étiquette verte contient moins de 0,2 gramme de lipides.

Le lait écrémé en poudre contient seulement des traces de matières grasses.

Les yaourts sont classés suivant leur valeur nutritive. Pour un pot de 125 grammes :

⊙ yaourt nature : 1,2 à 1,3 gramme de lipides ;

⊙ yaourt maigre : 0,4 gramme de lipides.

Le diabétique a intérêt à veiller à un apport de lipides modéré. Tous les taux sont obligatoirement notés sur les emballages. Il suffit de choisir.

ATTENTION

Le chocolat allégé dit « pour diabétiques », « sans sucre », contient à peu près le même nombre de calories que le chocolat tout-venant et contient un peu moins de sucre.

Les bonbons allégés ne conviennent jamais à un diabétique.

Ouvrez l'œil et méfiez-vous des produits « allégés », « light », « sans sucre » et précisément sans saccharose.

Ils ont pour l'amateur un goût souvent plus sucré que le produit naturel parce qu'ils sont sucrés avec du fructose, dont la saveur est plus accentuée.

Et, de toute façon, le fructose se transforme en glucose dans la digestion.

Et si le régime ne suffit plus ?

Il peut arriver, au cours des années d'évolution d'un diabète gras et malgré l'observation d'un régime amaigrissant, que les examens de surveillance laissent remarquer une glycémie augmentée au-dessus des normes requises pour votre cas personnel.

Le médecin prescrira un comprimé qui aidera le pancréas à produire de l'insuline, en espérant que les îlots de Langerhans possèdent encore la faculté de produire l'hormone.

On utilise plusieurs familles de comprimés :
- sulfamides hypoglycémiants ;
- biguanides ;
- acarbose ;
- glinides ;
- médicaments agissant sur l'incrétine, etc.

Ce sont ces derniers qui conviennent le mieux au diabète gras. Ils ont la faculté de permettre au glucose de pénétrer à nouveau dans les cellules en suppléant le pancréas défaillant.

Malgré leur aide, ils ne remplacent pas la secrétion d'insuline, ils aident seulement le pancréas épuisé par des erreurs, des négligences, un excédent pondéral qui ne descend pas ou, enfin, par un état diabétique qui dure depuis trop longtemps. On est même parfois obligé de recourir à l'insuline, ce qui est rare, heureusement pour le patient. Le régime alimentaire est toujours aussi indispensable.

DIÉTÉTIQUE DU DIABÉTIQUE
INSULINO-DÉPENDANT
DE POIDS NORMAL

೪

Ici tout change. On a l'impression de ne pas être devant la même maladie.

Dans le diabète gras on trouve un pancréas à bout de forces, exténué par des excès nutritionnels, un pancréas qui n'en peut plus de régulariser une glycémie malmenée. L'amateur de «grande bouffe» n'a plus qu'une solution: retrouver un mode alimentaire salvateur, en espérant que le régime évitera le médicament.

Le comprimé bienfaiteur sera cette aide apportée comme à un noyé qui fait naufrage.

Toute autre situation est celle de cet enfant, cet adolescent, cette jeune femme, cet homme adulte qui n'a pas encore atteint 40 ans, qui semble ne plus avoir de pancréas: une sidération, une aplasie, comme s'il manquait à ce patient une partie de lui-même. Il est voué à un coma, à une mort inéluctables et à brève échéance sans ses «ustensiles» de survie: seringue, stylo, bandelettes de contrôle, bocal d'urines, stylet et carnet, flacons et kleenex. Un cérémonial quotidien!... Et à vie!

Le régime semble surajouté, comme une astreinte de plus pour ce diabétique insulino-dépendant.

Heureusement, il y a peu d'interdits : seulement le sucre pur et tout ce qui en contient (voir encadré ci-dessous).

Et pourtant ce sucre est à la fois un poison et une sauvegarde ! C'est que, du fait de l'injection d'insuline ou de la prise orale de comprimés sulfamides ou biguanides, il peut arriver que la dose soit mal adaptée, que la diététique ait été négligée, qu'un événement extérieur trouble le devenir des hypoglycémiants. Ils foncent... ils agissent aveuglément !

C'est au malade de doser, d'organiser son apport alimentaire de glucides lents. Qu'arrive-t-il si ces conditions ne sont pas respectées ? C'est l'incident hypoglycémique.

ATTENTION

Produits de la confiserie, de la pâtisserie : le chocolat, le sucre, le miel, les bonbons, les biscuits, la confiture :
⊚ 1 morceau de sucre (5 grammes) : 20 calories ;
⊚ 2 biscuits : 80 calories ;
⊚ 2 boules de glace : 120 calories.

Ils sont à la fois poison et sauvegarde pour le diabétique insulino-dépendant.

L'incident hypoglycémique

L'incident hypoglycémique est redouté des diabétiques et de leur entourage. C'est une sensation de malaise : mouches devant les yeux, la vue qui se brouille comme par un voile, une faim impérative, exigeante, qui ne souffre aucun retard ; pâleur et traits tirés complètent ce tableau clinique qui peut devenir inquiétant si le malade ne prend pas aussitôt un aliment sucré, de préférence sucre rapide.

Ce peut être un jus de fruits, un morceau de sucre ou de chocolat, une pâte de matières grasses.

Si le malade sent venir la crise, il peut choisir un simple morceau de pain, une viennoiserie du boulanger le plus proche. Cependant le diabétique devrait avoir toujours sur lui des morceaux de sucre pour parer au plus pressé.

Aucune négligence n'est permise dans l'observation de cette partie de la diététique.

C'est souvent la femme, la compagne d'un homme diabétique, qui, angoissée à l'idée de voir apparaître la crise, vient au secours du diabétique par trop négligent. Mais parfois le plus sévère, le plus attentif ne peut se protéger de ces malaises, sans que l'on sache exactement pourquoi.

Il est souhaitable que ces apports de glucides rapides ne se reproduisent pas trop fréquemment : cela entraîne un niveau calorique élevé, donc une surconsommation de toutes sortes de sucreries et une augmentation du poids du malade, ce qui n'est pas recommandé.

Et qu'en dit le diabétique lui-même ? Il est angoissé, il est gêné dans son métier, sa vie sociale et privée. C'est surtout chez le malade qui n'a pas encore bien intégré la valeur de la diététique que les malaises se reproduisent, lorsque l'éducation diététique n'a pas été bien comprise ou mal expliquée. Comme nous l'avons dit, certains accidents sont imprévisibles ; on ne dira jamais assez combien il convient au malade et à sa famille de bien comprendre la maladie et de parer toute éventualité.

Soigner les apports nutritionnels

LE PETIT DÉJEUNER

Modifier le repas matinal d'un patient quel qu'il soit est plus difficile qu'on ne croit. Chacun a ses manies alimentaires matinales. Changer seulement le thé pour du café, ou inversement, soulève des protestations de la part du malade. Imposer un œuf ou une tranche de viande à celui qui tartine largement de beurre et de confiture la demi-baguette tout fraîchement sortie du four du boulanger semble une torture difficilement supportable. À plus forte raison au diabétique à qui le médecin vient d'annoncer la maladie.

Il faudra envisager ce changement indispensable avec patience et un certain tact.

Ce petit déjeuner sera une sorte de repas complet. Il comportera tous les éléments nutritionnels que nous connaissons :

◎ un œuf ou 50 grammes de viande ou 50 grammes de jambon ;
◎ 25 grammes de fromage ;
◎ un fruit (100 g) ;
◎ 30 grammes de pain avec une coquillette de beurre ;
◎ du lait dans le café ou le thé.

On l'aura compris : pas de sucre, pas de confiture ou de miel. On sait que la glycémie augmente le matin, il est inutile d'accentuer le phénomène naturel préjudiciable au diabétique. Ce «p'tit déj» est recommandé à tous les diabétiques de poids normal ou obèses insulino-dépendants ou traités par les hypoglycémiants. Allons un peu plus loin et oublions un instant les diabétiques. Les nutritionnistes souhaiteraient ce type de repas matinal pour une alimentation logique en relation avec nos rythmes biologiques qui font partie de nous-mêmes. Les savants qui manipulent ces données pensent que nous ne devrions faire que deux repas par jour, un le matin et un le soir, avec deux collations entre les deux et un court temps de repos pendant le travail.

LES COLLATIONS

Parmi les gens qui travaillent, dans les bureaux, sur les chantiers, il en existe peu qui abandonnent les machines pour un casse-croûte. Le *five-o'clock* n'est affaire que de coutumes outre-Manche et, il faut bien le dire, une source de quolibets pour le travailleur bien français.

Pourtant, il faudra que le diabétique insulino-dépendant se plie à cette nouvelle façon de se nourrir. Il y trouvera d'ailleurs plus de plaisir et de confort que d'embarras.

Parfois, chez certains malades une collation nocturne est utile. C'est un point à débattre pour chaque cas particulier avec le médecin traitant, selon la qualité de l'insuline prescrite. La collation de la nuit, pour éviter le malaise nocturne, n'est pas obligatoire. Les nutritionnistes proposent une banane, un morceau de fromage avec du pain ou un biscuit avec du lait.

Il est préférable, dans le cas où ce mini-repas est conseillé par le diabétologue, de le consommer vers 22 heures, soit au moment du coucher. Le but de la diététique du diabétique en équilibre pondéral se résume à surveiller l'équilibre nutritionnel et à traiter le diabète. Il faut que le malade surveille son poids, qui doit rester stable. Le moindre amaigrissement doit l'alerter, et il ne doit pas hésiter à consulter. Les glucides rapides seront exclusivement conservés pour traiter le malaise hypoglycémique. Si le malade se laisse tenter par une de ces douceurs interdites, qu'il la consomme à la fin d'un repas. L'apport glucidique fera moins augmenter la glycémie sur un estomac plein, il sera moins vite absorbé, donc moins toxique, et l'assimilation sera moins rapide.

Enfin, le niveau calorique et la quantité de glucides doivent être fixés pour chaque malade en particulier, toujours par un diabétologue ou un service hospitalier spécialisé, et en relation avec l'insuline utilisée et le nombre d'injections journalières.

Les repas en dehors de la maison

LE DIABÉTIQUE INVITÉ CHEZ DES AMIS

Il est tout d'abord fort probable que vos amis connaissent votre maladie et auront la délicatesse de respecter votre attitude devant le menu qu'ils vous offrent, et même qu'ils ne seront pas surpris de vous voir vous isoler pour votre piqûre une demi-heure avant le repas, comme c'est obligatoire... Ils seront peut-être même attentifs à ne pas retarder exagérément le moment du repas.

Le malade se trouve devant le problème de contrôler les apports caloriques en quantité, et glucidiques en qualité. Il n'existe pratiquement aucun interdit.

Il suffit de modérer la ration, vous servant plus de salade que de charcuterie (lipides), de ne pas reprendre du succulent gâteau et de respecter un certain équilibre entre les différents aliments.

Si le menu vous paraît trop léger en glucides lents, comme c'est la mode – les féculents ne font guère partie des menus prisés –, vous pouvez insister sur le pain pour régulariser votre ration de glucides lents. Si les haricots ne sont pas aux menus de fête, le riz, on ne sait pourquoi, fait partie des aliments «distingués». Profitez-en pour vous servir comme vous avez appris à le faire : riz et pain seront les bienvenus.

LES HORAIRES DES REPAS

Nous avons évoqué l'importance des repas pris le plus possible à des heures fixes. Nous avons soulevé l'étude des rythmes biologiques.

Si pour le diabétique obèse l'heure des repas n'a pas une importance majeure, pour le malade sous insuline un simple changement d'horaire dans la prise du repas doit nécessairement être pris en compte. Le diabétique doit ajuster son traitement à la modification de la nouvelle situation. Le simple «changement d'heure», dont certains s'indignent à juste raison, gêne certaines classes de notre société, les nouveau-nés et les diabétiques en premier lieu.

Pour celui qui se lève de bonne heure, qui a reçu son injection également de bonne heure avant le petit déjeuner, retarder le repas de midi de une ou deux heures risque de provoquer une hypoglycémie. Mais, comme vous êtes prévoyant, vous avez à votre portée le paquet de biscuits ou le morceau de sucre si vous ne vous sentez pas bien.

Certaines personnes, qui ne sont pas diabétiques et qui sont très attentives à leurs propres rythmes, sont gênées par les retards d'une prise alimentaire. Rien ne les empêche de faire comme le diabétique. Mais attention aux kilos si ce manège se reproduit souvent.

Si vous êtes invité chez des amis le soir, ne faites pas votre injection chez vous. Si l'on mange tard chez vos amis, le malaise guette.

LE DIABÉTIQUE AU RESTAURANT

Repas inhabituel

Toujours aucun interdit. Vous avez largement la possibilité de choisir sur la carte des glucides que vous répartirez aux différents moments du repas. Quelques conseils tout de même : évitez les frites, les sauces ; commencez le repas par des crudités ; prenez une viande avec des légumes, un morceau de fromage et quelques fruits dont vous avez pris l'habitude de connaître la valeur en sucre ; et du pain, du pain !

Rien de différent de ce que devrait être l'alimentation d'un individu normal qui veille sur sa santé et son poids.

Appréciez les quantités d'après le contenu de votre plateau habituel familial. Vous remarquez alors que le repas est composé de glucides lents qui ont un faible pouvoir hyperglycémiant: les légumes verts, qui font augmenter lentement la glycémie, le pain, les pommes de terre. Évitez les glucides rapides – le dessert, trop sucré.

Repas au travail

Si vous travaillez loin de chez vous, vous déjeunez tous les jours au restaurant, au bistrot du coin, au *fast food* ou à la cafétéria de l'entreprise.

Ce qui se consomme dans le *fast food* représente pour le diététicien l'antithèse de ce qui est recommandé.

Cependant, comme de nombreux jeunes amateurs de ces nourritures *made in USA*, ne privons pas le jeune diabétique de suivre ses copains de «bouffe», fût-elle la plus indigeste.

Il est bien rare que le restaurant d'entreprise et le self-service ne proposent pas un choix de plats dans lesquels vous pourrez trouver le menu qui vous convient.

La pratique du sport

Voilà un homme jeune, une femme jeune. Ils aiment le sport et, un jour, on découvre un diabète.

Vont-ils être obligés d'abandonner ce qui fait la joie de leur vie?

Le sport et le diabète ne sont pas incompatibles, et parfois même le sport est recommandé au diabétique à condition d'observer certaines précautions, extrêmement importantes, en ce qui concerne la diététique.

Il est indispensable, avant toute décision, de faire un bilan cardio-vasculaire complet. Si vous êtes très jeune, cela vous semblera peut-être superflu. C'est important, surtout si vous faites un sport intensif ou de compétition.

Nous ne conseillerons pas les sports de compétition et les sports intensifs, même si tout semble bien aller en dehors du diabète. C'est une source de troubles à la moindre déviation, soit diététique, soit dans l'exercice du sport lui-même : trop long, trop intense, etc.

Au contraire, le sport de loisir sans compétition, au rythme du malade, est autorisé et même conseillé. Tous les sports sont possibles : le vélo, le tennis, le jogging, le golf, le cheval, etc. Attention à la natation et au malaise possible. Bien surveiller la diététique.

LA DIÉTÉTIQUE DU SPORTIF INSULINO-DÉPENDANT TRAITÉ PAR INSULINE

Il y a une technique alimentaire à laquelle il est essentiel de se soumettre pour le diabétique sportif.

Elle peut se résumer à la formule : avant, pendant, après l'effort.

Comme toute activité physique intense, le sport demande une dépense d'énergie fabriquée à partir des substances qui fournissent les glucides et les lipides, libérant des calories.

Nous avons expliqué que l'organisme fabrique des réserves glucidiques qu'il stocke dans le foie et dans les muscles ; dans le foie, c'est le glycogène. Écoutez la mère de ce garçon qui va disputer un match de tennis l'après-midi ; elle répond à une amie :

«Comment vas-tu nourrir ce grand jeune homme, l'entrecôte ne doit pas lui faire peur !

– Point du tout ! Ce qui convient ce sont les pâtes, mais alors là il ne faut pas ménager la ration !»

Ceci est encore plus vrai pour le diabétique.

Au bout d'une heure et demie environ, les réserves hépatiques sont épuisées, et c'est, pour ce genre de sportif, le malaise hypoglycémique.

UN EXEMPLE PRÉCIS

Prenons un match de tennis entre amis, disputé vers 16 heures.

Avant le match : le repas de midi sera composé de crudités, de 150 grammes de viande et d'une assiette de spaghettis avec du parmesan et un fruit. En attendant d'entrer en lice, le joueur diabétique croquera une ou deux pâtes de fruits.

Il fera bien de doser sa glycémie avant l'effort.

Pendant le match : il faut boire des jus de fruits (jus d'orange, un quart de litre), et manger quelques morceaux de sucre, utiles selon les diabétologues qui ont calculé en calories et en glucides. Si c'est un «simple» et donc un effort intense : cinq morceaux ; en «double», un peu moins : deux morceaux. On arrive dans le premier cas à 60 grammes de glucides, et à 30 grammes dans le second.

Le sucre est dans la poche du joueur, et il en croque un morceau toutes les demi-heures.

Finalement c'est très simple et plutôt agréable. Il ne faut surtout rien négliger.

Après le match : il faut récupérer.

La ration permettra de recharger le foie en réserves glucidiques. Du pain et du chocolat, ou un pain aux raisins. Arrêt des sucreries proprement dites : les pâtes de fruits et les sucres seront mis de côté.

Toujours le diabétique contrôlera sa glycémie rapide si la glycémie est trop basse. Toujours cette balance entre le chiffre donné et l'apport glucidique.

Le sport est recommandé aux diabétiques insulino-dépendants. On sait depuis quelques années que l'inactivité physique augmente les besoins en insuline. Il faut donc en tirer les conséquences.

Le diabétique sous insuline qui part en voyage

Toutes les recommandations du médecin seront prises en compte par le patient.

Il ne doit en aucune façon s'aventurer à la légère, comme le ferait un individu non diabétique.

Nous nous contenterons d'envisager ici les directives concernant la nutrition.

Il faut insister sur la fragilité du malade. Il doit veiller à son alimentation avec une grande attention.

Toutes les contraintes imposées par le traitement sont les mêmes, et la vigilance doit être décuplée.

ATTENTION AUX RISQUES ALIMENTAIRES

La moindre indigestion, qui pour les autres voyageurs passera d'un jour à l'autre, peut décompenser gravement un diabétique. Vomissements et diarrhées ne font pas bon ménage avec votre maladie.

Attention aux glaces et aux gâteaux avec de la crème ; mais cela est bon pour tous les voyageurs.

Le rapatriement pour empoisonnement par les staphylocoques est une intervention sanitaire des plus fréquentes.

PRINCIPES DE BASE

Attention aussi à l'eau, source de tant de contaminations. Tous les voyageurs dans les pays sous-développés savent qu'il ne faut pas mettre de glaçons dans l'eau.

Il faut vérifier que la bouteille d'eau minérale comporte bien son bouchon d'origine, retiré devant vous.

Il est préférable de boire du thé. C'est d'ailleurs pour cette raison sanitaire que les indigènes de tous les pays ou presque se sont habitués à cette boisson.

La nourriture cuite est plus facile pour le diabétique.

Le riz est souvent la céréale la plus répandue.

Il faut encore éviter les légumes crus.

Il faut peler les fruits.

Toutes les autres précautions concernant votre traitement et les vaccinations sont à établir avec votre diabétologue.

Ainsi le malade ne doit jamais partir en excursion sans se munir de glucides rapides, et ne jamais s'engager à jeun. N'importe quel retard dans l'arrivée au restaurant peut entraîner un grave malaise pour une imprudence.

Il faut absolument emporter un casse-croûte comportant du pain, du fromage, des biscuits : un biscuit pèse 10 grammes, un paquet est une sauvegarde ; il faut y ajouter un fruit si possible.

La conduite automobile

L'essentiel, si vous aimez conduire – que ce soit pour un long voyage ou pour vos déplacements quotidiens – est d'éviter la crise d'hypoglycémie. Il faut toujours manger avant de prendre le volant.

Si le trajet se prolonge, encombrements par exemple, le paquet de gâteaux secs et les morceaux de sucre doivent en permanence demeurer dans votre boîte à gants. Vérifiez votre glycémie et arrêtez-vous sur les aires de repos pour un long trajet.

LA CUISINE PRATIQUE POUR LES DIABÉTIQUES

Et maintenant, nous allons cuisiner !

La cuisine est un humanisme au sens le plus large du terme. C'est un art de vivre, un art de se nourrir.

Et ce n'est pas parce qu'un diabète a été découvert dans la famille que la cuisinière va se brouiller avec ses casseroles. D'abord, elle va profiter du fait que la cuisine nouvelle et familiale s'est beaucoup allégée depuis dix ans. L'art de la cuisine impose une heureuse simplification de nos menus. Si l'on a pris conscience d'une certaine diététique, il y a aussi une raison économique. L'époque des menus gargantuesques des générations passées nous semble invraisemblable.

Pour la cuisine quotidienne, les maîtresses de maison actuelles vont au plus pressé. Elles font appel aux surgelés, aux conserves, aux plats tout faits.

C'est à ce stade qu'il faut devenir vigilant pour rendre la vie possible au diabétique qui s'assied à la table familiale.

Il faudra se tenir éloigné des pièges nutritionnels d'une cuisine faite sans goût, d'une cuisine toxique, trop grasse, trop sale, trop sucrée. Les cuisinières de catastrophes se rencontrent par milliers ! Mais il est certain que celle qui va cuisiner pour un malade sera attentive à tout, sans transformer sa cuisine en un laboratoire.

MENUS POUR DIABÉTIQUES OBÈSES

∾

Pour le diabétique obèse, il s'agit de perdre les kilos superflus. La cuisine sera légère, simple, comportant des menus hypocaloriques et cuisinés avec peu de matières grasses. Il faut tenter de «délibidiniser» la nourriture du gros personnage trop gourmand. La lui faire voir de plus loin. Calmer son désir permanent de nourriture trop recherchée, ce qui ne veut pas dire le carême perpétuel. Ne pas mettre aux menus des recettes extraordinairement compliquées ne signifie pas jeter tous les jours, dans l'assiette du malade, le même légume bouilli et l'éternel steak haché. Cette méthode alimentaire ne durera pas longtemps.

La diététique ne se contente pas de comptabiliser les nutriments qui composent nos aliments quotidiens. L'aliment est un symbole, même pour le diabétique! Si au commencement de la prise de conscience de sa maladie le patient est tenu de se soumettre à une «gymnastique» nutritionnelle, il en aura vite fait le tour et s'adaptera rapidement à sa nouvelle façon de vivre et de manger.

Le niveau calorique journalier et celui des différents repas seront établis par le diabétologue lors de la première consultation. Excepté dans les cas de très grave obésité, on a intérêt à rester dans un juste milieu.

Pour entrer maintenant dans le vif du sujet, nous donnons deux exemples de menus à suivre sur une semaine, qui conviennent pour les diabétiques obèses.

Menus à 1500 calories environ établis pour une semaine

C'est un régime possible à suivre et à composer pour la cuisinière. Il lui est conseillé de s'abstenir le plus possible de recettes emberlificotées! Plus c'est simple, plus c'est facile. *C'est de toute façon un régime trop sévère pour demeurer un régime de croisière.* Il faudra revenir, au bout de quelques jours, sur les ordres de votre médecin, à une alimentation plus près d'une alimentation plus libre.

Ce régime ne peut être suivi que pendant une période donnée, le temps de voir dégonfler le malade. Pour un obèse gros mangeur, c'est une preuve qui doit être surveillée attentivement par son médecin.

Le menu du petit déjeuner est le même tout au long de la semaine :
⊙ 50 g de pain ;
⊙ 1 petit pot individuel de Jockey® à 20 % de matières grasses ;
⊙ 1 orange ou 1 orange pressée nature.

Ou bien :
⊙ 50 g de pain avec 10 g de Saint-Hubert 41® (on tartine le pain) ;
⊙ 1 yaourt nature.

Dans les deux cas, thé ou café avec édulcorant, ou nature, ou avec citron, ou avec un nuage de lait écrémé.

En cas de fringale dans l'après-midi : 1 pomme ou 1 yaourt nature ou 1/2 tranche de jambon ou 5 grammes de fromage.

Les matières grasses pour la cuisine seront réduites au minimum :

◎ enduire légèrement la poêle ;

◎ faire braiser les légumes dans une cuillerée à soupe de matière grasse pour tout un plat. De cette façon, la quantité est difficile à préciser mais elle est réduite ;

◎ cuire de préférence les légumes à l'autocuiseur, excepté pour certains qui sont trop forts. Ainsi, le chou-fleur est meilleur bouilli.

Le pain n'est jamais supprimé : 100 grammes par jour.

Boire entre les repas de l'eau citronnée, pas plus d'un citron par jour. Dans ce régime très sévère dans lequel on doit réduire sur presque tout, le vin apporte des calories en plus qu'il est préférable de faire porter sur le pain, par exemple.

MENUS À 1 500 CALORIES ENVIRON POUR UNE SEMAINE	
Lundi midi • 1 aile de poulet grillée ou cuite dans la poêle avec une noisette de margarine • 200 g de haricots verts cuits à la vapeur • 1 tranche d'ananas frais	**Lundi soir** • 1/2 petite boîte de thon au naturel (Germon) • 2 pommes de terre vapeur • 10 fraises
Mardi midi • 100 g de viande (escalope de veau) • Nitukés de toutes sortes de légumes (voir p. 110) • Framboises surgelées avec édulcorant en poudre	**Mardi soir** • 1 œuf dur • 50 g de cœurs de laitues en sachet tout épluchés • 1 Jockey® 100 g à 20 %

Mercredi midi • 100 g de carottes râpées avec sauce allégée • 1 tranche de filet de bœuf de 150 g • Endives à la vapeur • 1 pomme	**Mercredi soir** • 1 plat de poisson basses calories (moins de 300 cal.) • 1 yaourt Bio nature
Jeudi midi • 150 g de médaillon de veau • 2 pommes de terre vapeur • 1 tranche d'ananas	**Jeudi soir** • 1 omelette de 2 œufs dans une poêle Téfal® • Fromage blanc à 20 %
Vendredi midi • 150 g de cabillaud en papillote • 40 g de riz pesé cru cuit à l'eau • 100 g de fruits de saison selon le goût	**Vendredi soir** • Endives cuites à la vapeur avec 1/2 tranche de jambon et 1 pincée de gruyère râpé • 1 mandarine
Samedi midi • 100 g de rôti de veau • Champignons de Paris à la poêle • 1 fruit de saison	**Samedi soir** • 1 assiette de potage de tous légumes mixés • 1 tranche de jambon • 50 g de salade • 1 banane
Dimanche midi • Poulet familial • Tomates confites grillées au four parfumées au thym • Ananas frais	**Dimanche soir** • Restes de poulet • 50 g de salade frisée avec 2 ou 3 lardons passés quelques minutes dans l'eau bouillante • 1 dessert allégé au choix

Autres exemples de menus établis pour une semaine

Voici une semaine de menus simples comme devrait l'être l'alimentation de tous les jours d'un diabétique obèse devant maigrir.

Le petit déjeuner ne change pas selon les jours, et les recommandations pour s'y conformer sont les mêmes que pour le régime précédent.

Les matières grasses pour la journée se limiteront à :
⊘ 1 cuillerée à café de beurre ;
⊘ 2 cuillerées à soupe d'huile.

Tous les condiments sont permis : poivre, cornichons, citrons, fines herbes, curry, cannelle, piment. Il faut cependant se tenir éloigné des sauces toutes faites comme le ketchup.

Pain : 50 g par repas.

Boisson : 1 verre à bordeaux de vin par repas.

Thé, café ou infusions à volonté. Pas de bière. Eau surtout entre les repas.

AUTRES EXEMPLES DE MENUS POUR UNE SEMAINE	
Lundi midi • 1 tranche de foie de veau • 2 ou 3 pommes de terre à la vapeur, persil, citron, plus cresson nature • 1 orange	**Lundi soir** • 2 œufs durs ou mollets • 200 g d'épinards hachés surgelés • 1 pomme
Mardi midi • 100 g de rôti de veau • 300 g de ratatouille • 1 yaourt maigre	**Mardi soir** • 100 g de reste de rôti de veau froid • 50 g de salade de saison • 1 banane

Mercredi midi • 150 g de steak haché • 200 g de haricots verts • 1 pamplemousse	**Mercredi soir** • Radis-beurre • 150 g de truite grillée • 50 g de riz pesé cru • 1 mandarine
Jeudi midi • 2 côtelettes d'agneau • 2 tomates provençales • 1 portion de fromage blanc à 20 % • Fraises ou framboises	**Jeudi soir** • 50 g de jambon • Salade de saison • 30 g de fromage • 1 banane
Vendredi midi • Dorade au four en papillote • 2 pommes de terre à la vapeur • 1 mandarine	**Vendredi soir** • 2 tomates crues fourrées au thon au naturel décoré de mayonnaise allégée (voir recette p. 116), de crevettes, et 1/2 œuf dur • 50 g de fromage à 45 % • 1 poire
Samedi midi • 150 g de pot au feu • 200 g de légumes avec condiments • 30 g de Roquefort • Fruit de saison	**Samedi soir** • 1 bol de bouillon dégraissé avec vermicelles ou tapioca • 50 g de salade • 1 fromage blanc à 40 % de matières grasses ou 2 petits-suisses

Dimanche
Choisissez dans le menu de la semaine
celui que vous préférez.

MENUS POUR DIABÉTIQUES TRAITÉS PAR INSULINE

❧

Nous marquerons une certaine réserve pour les régimes concernant le diabétique traité par insuline pour la raison que le niveau calorique alimentaire est en relation constante avec le traitement par l'insuline et le délicat équilibre à établir entre le niveau de la glycémie et le dosage de l'hormone injectée.

L'ensemble varie, comme nous l'avons vu, avec l'âge ; le diabète de l'enfant n'est pas traité de la même façon que celui de sa grand-mère, et l'alimentation est différente.

Voici cependant un exemple de menu type équilibré pour un diabétique de poids normal traité par insuline.

Menu type à 2 200 calories environ établi pour une journée

Ce menu type est un cadre général destiné à venir en aide à la cuisinière, qui va rythmer ses menus sur ce modèle en variant au maximum les aliments choisis. En suivant cette technique pratique, il est facile de respecter votre régime. Il suffit donc, dès les premiers jours, de peser les aliments à votre disposition en suivant le cadre général. Inutile de consulter continuellement la table des calories, celle des glucides et des lipides. Ceci deviendrait vite un casse-tête chinois !

Notre but est de faciliter au diabétique sous insuline soumis à tant de contraintes une alimentation dirigée, mais possible, qui ne devienne pas obsessionnelle, et une situation insupportable pour toute la maisonnée.

Bien que tous les aliments se trouvent en abondance à toutes les périodes de l'année, il est préférable de choisir les menus qui marchent avec les saisons. C'est mieux pour la santé et pour le porte-monnaie. Mais le nutritionniste, lui, ne voit que les nutriments !

La maîtresse de maison-cuisinière a d'autres arguments, tout en restant dans la droite ligne de la prescription médicale !

Si le petit déjeuner est toujours le même, avec pour seule différence soit œuf, soit jambon, soit viande, les autres repas doivent être appétissants et, si possible, agréablement servis. La monotonie engendre le dégoût et celui-ci l'inappétence, puis l'anorexie chez un malade déjà traumatisé par la découverte de son diabète.

Petit déjeuner
- 50 g de pain
- 1 fruit de 150 g
(1 mandarine ou1/2 pomme)
- 1 œuf ou 25 g de jambon
dégraissé, ou une tranche
fine de 50 g de viande froide
- 250 g de lait
- 20 g de fromage

Collation
- 50 g de pain
- 20 g de fromage

Déjeuner
- 100 g de viande
- 200 g de crudités ou de
légumes verts
- 150 g de pommes de terre,
ou équivalent féculent
- 1 fruit ou 100 g de fruits

Collation vers 16 heures
- 50 g de pain
- 20 g de fromage

Dîner
- 25 g de pain
- 150 g à 200 g de poisson
- 150 g de féculents
- 50 g de salade
- 20 g de fromage
- 100 g de fruits

Matières grasses pour assaisonnements :
- huile : une cuillerée
à soupe par repas
(10 grammes) ;
- beurre (5 grammes) :
une noisette par repas,
à répartir selon
les préférences.

Si le petit déjeuner représente un moment difficile, si le malade n'arrive pas à manger en se levant, qu'il boive son thé ou son café habituels. Il se sentira mieux après sa piqûre s'il fait sa toilette et s'il s'habille. Il pourra alors se mettre à table, et ce sera plus facile encore si sa ration personnelle est préparée sur son plateau, parfois la veille.

Exemples de menus établis pour une semaine

Avec le menu type établi pour une journée vous aviez le cadre général, voici maintenant des idées !

Les menus suivants sont simples, les recettes faciles à réaliser. Ils s'approchent de l'alimentation qui devrait être celle d'un individu normal soucieux de sa santé. Cependant, bien peu de gens savent se raisonner et observer une diététique convenable.

C'est pourtant ce que devra faire le diabétique insulino-dépendant. C'est précisément cette régularité qui est difficile dans le régime. Nous allons organiser des menus en harmonie avec les aliments qui entrent le plus communément dans le panier de la ménagère.

Nous ne reprendrons pas les quantités : pour celles-ci, se conformer à celles indiquées pour le menu type établi pour une journée.

AUTRES EXEMPLES DE MENUS POUR UNE SEMAINE	
Lundi midi • Carottes râpées • 1 tranche de foie de veau • Pommes de terre cuites à la vapeur • 1 mandarine	**Lundi soir** • Filet de cabillaud en papillote • Riz blanc cuit à l'eau • Salade de laitue • Camembert • 1 pomme
Mardi midi • Asperges • 1 tranche de rôti de veau • Aubergines braisées • 1 banane	**Mardi soir** • Filet de merlan en papillote • Riz blanc cuit à l'eau • Salade d'endives • 1 mandarine

Mercredi midi	**Mercredi soir**
• Radis avec une noisette de beurre ou margarine • Steak • Purée de pommes de terre • 1 pomme	• Tomates en salade • 2 œufs coque ou durs • Lentilles • Pruneaux trempés la veille dans l'eau
Jeudi midi	**Jeudi soir**
• Artichauts poivrade en salade • 1 côte de veau • Pâtes (spaghetti, etc.) • 1 mandarine	• Saumon grillé ou en papillote • Ramequin de semoule au lait • Salade de laitue • 1 coupelle de salade de fruits
Vendredi midi	**Vendredi soir**
• Crudités multicolores • Dorade au four • Purée d'épinards • 1 banane	• 1 ou 2 œufs à la coque • Petits pois surgelés • 1 yaourt au lait entier • 1 pomme
Samedi midi	**Samedi soir**
• Mélange de crudités • Tranche de gigot • Carottes braisées • 1 yaourt	• Potage de tous légumes avec vermicelles, ou tapioca, ou semoule • Truite au four • Salade • Roquefort • 1 mandarine
Dimanche midi	**Dimanche soir**
• Radis-beurre ou margarine • Poulet rôti, cuisse ou aile • Endives braisées • Ramequin de grosse semoule • Salade de fruits	• Jambon • Pommes de terre au four avec crème fraîche • Salade • Camembert • 1 banane

QUELQUES RECETTES

Nous avons jusqu'à présent donné des schémas, des types de menus stricts, laissant à chaque malade le choix qui convient à son cas personnel, en accord avec son médecin.

Notre but sera, à travers les exemples de recettes proposés, de rendre l'alimentation du diabétique obèse ou insulino-dépendant plus facile et plus agréable.

Nous espérons qu'après avoir pris connaissance des limites glucidiques, caloriques et lipidiques de son régime, il lui sera permis de ne pas vivre les tables de calories à la main, et qu'après une période de tâtonnement il pourra même se passer de la balance de cuisine.

Nous savons par expérience ce que représente pour un malade cette nécessité.

Nous savons aussi que tout régime trop contraignant est voué à l'échec, à plus ou moins long terme. Surtout lorsque le malade doit le suivre toute sa vie. Le gros, parce que, s'il grossit, les examens biologiques ne tardent pas à être perturbés, la glycémie remonte, avec tous les risques que nous avons vus. Le malade sous insuline, parce qu'il sera sujet à des incidents graves d'hyperglycémie ou d'hypoglycémie, dont il faut absolument se prémunir. Et il n'y a que le régime pour cela.

Le diabétique travaille, mange au restaurant, à la cantine, il est invité chez des amis, sa vie sociale doit se rapprocher le plus possible de celle des individus normaux. Notre but est de l'aider dans toutes ces situations « nutritionnelles ».

La maîtresse de maison compose ses menus journaliers à partir de la viande, d'un poisson ou d'œufs autour desquels elle bâtit les repas de la famille. Nous suivrons sa tactique pour « ordonnancer » nos recettes.

Toutes les recettes suivantes sont établies pour deux personnes et peuvent être cuisinées pour toute la famille. Il sera facile de compléter et d'enrichir le menu pour les adolescents, dont le niveau calorique et protéique doit être plus élevé sans que cela atteigne des excès nutritionnels inutiles et préjudiciables à leur santé future : excès de matières grasses et de sucres.

● Les viandes

On peut utiliser toutes les viandes. Elles seront de préférence rôties ou grillées, mais elles peuvent aussi être bouillies ou braisées dans très peu d'huile, selon la quantité autorisée.

Les goûts français accordent :

⊙ la *dinde*, le *porc*, le *veau* et la *volaille* avec les champignons, les petits pois, les choux-fleurs, les épinards… ;

⊙ le *bœuf* et le *mouton* avec les haricots verts, le céleri, les endives, les carottes.

La viande n'est pas indispensable pour accompagner certains légumes qui se suffisent à eux-mêmes. Les choux-fleurs, les cœurs de céleri, les pommes de terre, les haricots, les lentilles peuvent faire un plat principal associé à un laitage, entremet sucré aux édulcorants. Au contraire, les petits pois seuls, en boîte ou surgelés, constituent un bien triste repas.

Le lapin: il faut consacrer quelques soins au lapin pour ne pas le transformer en un mets trop gras qui lui ôte ses qualités premières de viande très peu calorique, très peu grasse et contenant peu de sel. C'est la viande idéale pour les régimes.

Comment le rendre agréable? Il peut être préparé au four et enrobé de moutarde, aux herbes et à la vapeur (hyperdigeste).

Le jambon: il fait partie de la vie quotidienne de milliers de cuisinières. Il peut être associé aux légumes. La formule la plus classique est celle des endives au jambon. Cette recette permet de visionner immédiatement la portion du diabétique. Jambon pesé d'avance (50 grammes) avec 1/2 tranche sur chaque endive: deux endives constituent la portion du malade.

Croque-monsieur

Le croque-monsieur n'a pas bonne réputation auprès des diététiciens: la double tranche de pain frite dans le beurre fait de ce plat indigeste un ennemi de celui qui cherche à maigrir. Il est facile cependant de rendre le plat plus léger. Il n'est plus une mine de calories.

- **1 tranche de jambon de 40 g: 150 calories**
- **1 tranche de Gouda de Hollande: 27 calories**
- **1 tranche de pain de mie: 25 calories**
On arrive à environ 200 calories.

Construire le croque-monsieur avec le pain, le jambon et le fromage, mettre au gril jusqu'à ce que le fromage fonde. Poser la préparation sur une feuille de papier alu.

Mais attention, il est difficile de s'arrêter à un seul. Alors les calories du repas montent vite.

Poulet à l'espagnole

Faire revenir dans une cocotte Téfal® des abats de poulet, des ailerons, du cœur, du gésier, du cou avec 1 cuillerée à soupe d'huile d'olive, 1 échalote (plus légère que l'oignon et plus facile à digérer) bien cuite, sans laisser brûler, 2 ou 3 carottes, 1/2 poivron rouge, 1 tomate, 1 navet, du persil haché et un peu de ciboulette (facultatif), quelques fleurs de thym, 2 clous de girofle et 5 ou 6 olives noires ou vertes dénoyautées. Lorsque le mélange est doré, ajouter 1 tasse à thé d'eau, laisser reprendre le bouillon et diminuer le feu. Laisser cuire à petit feu une demi-heure.

Ajouter 1 tasse de riz (150 g). Laisser cuire 20 minutes. Rajouter un peu d'eau si nécessaire. Cette recette est très agréable pour préparer un reste de poulet froid. Il suffit de poser les morceaux de volaille sur le riz, dans la cocotte, lorsque le riz est cuit. Pour parfumer et faire plus « espagnol », il est possible d'ajouter du curry ou du safran au moment où l'on jette le riz dans la préparation.

Filet de dinde
ou de poulet aux champignons

Faire griller 2 filets de poulet ou 1 filet de dinde (300 g) dans une poêle Téfal®.

Prendre 250 g de champignons de Paris. Les laver à l'eau courante. Ne jamais les peler, les équeuter, les couper en lamelles.

Mettre de côté la viande. Verser dans la poêle 1 cuillerée à soupe (pas pleine) d'huile dans laquelle on fera cuire les champignons. Ajouter 1 cuillerée à café de farine. Mouiller avec 1 tasse à café de lait. Ajouter 1 pincée de fleurs de thym. Poser la viande sur la préparation et couvrir quelques minutes. On peut ajouter, à la place du thym, de la noix de muscade râpée.

Poivrer et saler légèrement.

Pot au feu
(ou poule au pot, si l'on remplace la viande par de la poule)

Ce plat n'est ni riche en calories ni difficile à digérer. Il n'est pas facile de donner des proportions pour deux, il y aura donc des restes pour le lendemain. Prendre 3 litres d'eau froide, 500 g de plat de côtes et 500 g de jumeau, 3 navets, 4 carottes, 1 oignon, 4 pommes de terre, 2 poireaux, 1 feuille de laurier, 3 ou 4 clous de girofle, 1 pincée de fleurs de thym. Plonger la viande dans l'eau salée froide et laisser lentement monter la température. La diffusion des produits sapides se fera, et on verra monter à la surface une écume grisâtre. Il faudra « écumer » le potage pour obtenir un bouillon clair. Immerger ensuite les légumes et régler le feu de façon à obtenir une ébullition lente. Le pot au feu doit « frissonner » ainsi pendant quatre heures. Ajouter quelques grains de poivre.

Le diabétique se servira de la portion autorisée selon son régime. Il profitera largement des légumes, pommes de terre ou pas selon son type de diabète.

On le sert avec des cornichons, qui ne sont pas interdits, ou de la moutarde, selon le goût de chacun.

Le bouillon sera décanté de la viande restante et mis au froid. Il sera alors facilement dégraissé.

Le lendemain, la viande sera soigneusement dégraissée et servie froide avec de la salade ou une tomate. Toujours très digeste pour toute la maisonnée. Encore une fois, le diabétique ne se sentira pas frustré et participera normalement aux agapes familiales. Même formule pour la «poule au pot» du «bon roi Henri IV»: eau froide salée, nombreux légumes, et présentation identique. Mais ici, le prix du repas est beaucoup moins cher.

Tendrons de veau en blanquette

Demander au boucher 6 tendrons de veau ou 6 morceaux de sauté de veau. Les mettre dans l'eau froide, juste pour recouvrir les morceaux. Saler, poivrer et laisser frissonner une heure. Sortir la viande, la garder au chaud. Ouvrir une petite boîte de champignons de Paris «boutons de guêtre», les égoutter, les mettre dans le jus avec sel, poivre, muscade râpée et 1 cuillerée à café de Maïzena® délayée dans 1 cuillerée à soupe de crème. La verser dans la préparation chaude et laisser cuire quelques instants en tournant vivement.

Ce n'est plus une blanquette si vous remplacez la sauce blanche par une sauce tomate diététique (voir p. 115).

Brochettes de foies de volailles

Il faut compter 150 g de foies de volailles pour 2 brochettes. Garnir la brochette de foies coupés en deux, de poivron, de citron, de tomate et d'oignon. Badigeonner d'huile d'olive et cuire à feu vif. Servir avec des lentilles: 200 g pesées cuites, ou 50 g pesées crues.

Risotto de foies de volailles

Faire cuire à feu doux dans une poêle avec 1 cuillerée à café de margarine 2 foies de poulet, et non de dinde, par personne, achetés chez le volailler. Les laisser dorer lentement un quart d'heure. Ajouter 1 cuillerée à soupe de câpres avec le vinaigre dans lequel elles sont conservées. Bien remuer. Présenter au centre d'une couronne de riz blanc.

Le diabétique se servira de sa ration prescrite : 2 cuillerées à soupe et 2 petits foies.

Recette facile, très peu connue, et la championne des économies : il n'y a pas meilleur marché !

On peut ajouter une sauce tomate diététique (voir p. 115).

Les produits de la mer

Les crevettes roses et bouquets cuits sont un mets de choix. Ils perdent beaucoup de leur goût très fin dans les surgelés, mais elles gardent la même valeur nutritionnelle.

Les huîtres, les mois en « r », sont excellentes pour tous et ne sont pas plus salées qu'une tranche de jambon ; leur valeur calorique est faible et elles sont recommandées dans les deux cas de diabète. On peut les préparer, mais les habitudes alimentaires communes de notre pays ne sont pas très favorables à cette formule. Et c'est si bon avec du citron et la fameuse tartine de pain de seigle beurré ! Attention, cependant : les huîtres, oui ! les tartines, non ! pas pour celui qui doit maigrir !

Saumon aux poireaux

Le saumon surgelé est souvent trop sec. Voilà une recette qui efface ce désagrément.

Une papillote par personne. Prendre 1 filet de saumon d'environ 200 g, le déposer dans le papier alu.

Ajouter 1 blanc de poireau déjà blanchi et dont on a enlevé une partie du vert, 2 tranches de citron, du poivre, un peu de sel, et fermer la papillote. Mettre au four une demi-heure. Ouvrir la papillote à table, dans l'assiette de chaque convive.

Saumon à l'oseille

Faire cuire le poisson au court-bouillon ou sur sa peau, comme on le présente maintenant chez les poissonniers, dans une poêle avec un peu d'eau parfumée, du thym, du laurier, 1 clou de girofle, du vinaigre et du citron. Il sera accompagné d'une simple sauce à l'oseille.

Filets de sole aux petits légumes

Faire retirer les filets d'une grosse sole ou les acheter surgelés. Les rouler et les piquer avec une pique de bois. Les faire pocher dans un court-bouillon avec oignons et fines herbes, selon votre goût. Les laisser cuire 10 minutes. Enlever la casserole du feu et laisser refroidir les filets dans le court-bouillon. Préparer les légumes finement taillés : carottes, haricots verts, navets, petits pois surgelés et 1 ou 2 très petites pommes de terre. Les mettre tous à cuire en même temps sur la grille de la cuisine-vapeur jusqu'à ce qu'ils ne croquent plus sous la dent. Présenter les filets de poisson sur les légumes et servir avec une sauce tomate diététique (voir p. 115).

Truites fraîches à la mayonnaise

Dans une grande poêle, poser 2 truites et les recouvrir d'eau. Ajouter du sel, du poivre, du vinaigre, des fleurs de thym, 1 feuille de laurier, 1 tranche de citron, oignon ou échalote. Pas de persil, qui jaunit la chair du poisson. Sortir délicatement du court-bouillon, déposer sur un lit de feuilles de laitues et retirer à chaud la peau supérieure (celle qui se voit). Servir avec une mayonnaise allégée (voir p. 116). Peut se préparer la veille en recouvrant de papier alu. Recette valable pour de nombreux poissons, filets ou autres. Le cabillaud, le merlan, le colin peuvent se préparer de la même façon.

Noix de Saint-Jacques aux légumes

Faire cuire à la vapeur 1 concombre entier dont on aura enlevé les pépins, 1 grosse carotte, 1 courgette non pelée. Les effiler en fines lamelles. Cuire les Saint-Jacques 2 minutes à la vapeur. Les couper finement – on dit les « escaloper ».

Prendre 1/2 tasse à café d'huile, le persil et 1/2 tasse à café d'eau. On obtient une sauce en émulsion. Servir sur une assiette, avec au centre les légumes, autour les noix de Saint-Jacques, la sauce en décoration et le reste en saucière. Très diététique.

Maquereaux en papillotes

Prendre 1 maquereau pour deux. Faire enlever les filets par le poissonnier. Les laver et les essuyer. Poser chaque filet sur une feuille de papier alu, sel, poivre et 1 cuillerée à soupe de jus de citron. Arroser d'1 cuillerée à café d'huile d'olive. Refermer les papillotes et mettre au four à 180° pendant 20 minutes.

Servir les poissons, le papier entrouvert, avec des pommes de terre à la vapeur ou du riz à l'eau. Il est possible de remplacer les maquereaux frais par des maquereaux en boîte au vin blanc, très peu caloriques et très pauvres en lipides.

Raie au beurre noir

En réalité, il s'agit de « beurre noisette ».

Prendre 1 aileron de raie par personne. Laver le poisson, le mettre dans une grande casserole, ajouter 1 verre de vin blanc et de l'échalote. Recouvrir d'eau. Cuire 10 minutes et retirer le poisson de la marmite. Faire fondre 2 cuillerées à soupe de beurre dans une petite casserole jusqu'à ce qu'il devienne doré. Verser le beurre sur le poisson et ajouter 1 cuillerée à soupe de vinaigre. On peut y ajouter aussi des câpres qui remontent la douceur naturelle de ce poisson.

Merlans en gelée

Rouler les filets. Les fixer avec une pique en bois. Faire pocher 10 minutes. Préparer la gelée, soit Maggi® soit gélatine. Faire blanchir 50 g de carottes râpées et 50 g de haricots verts extra-fins. Recouvrir le fond d'un plat de service en verre d'un peu de gelée, laisser refroidir et garnir avec une petite partie des légumes.

Y poser les filets et les recouvrir de la gelée restante, puis mettre au réfrigérateur. Démouler en mettant quelques secondes le plat dans l'eau chaude. Très peu calorique. Peut se faire la veille! Même technique avec des filets de sole... Mais plus cher!

Moules marinières

Un plat qui change de l'ordinaire, très facile à réaliser. Mais il faut gratter les coquillages sous l'eau et les ébarber.

Acheter 1 litre de moule pour deux. Les jeter dans une grande cocotte pour les faire ouvrir et cuire. Elles rejettent leur eau lorsqu'on les retire de la cocotte. Passer ce liquide de cuisson au tamis ou, mieux, à l'aide d'un papier qui sert à filtrer le café.

Passer le récipient à l'eau pour qu'il ne reste pas de traces de sable. Faire revenir dans la cocotte 2 échalotes dans 1 cuillerée à soupe d'huile. Y jeter les moules et le liquide passé. Ajouter 10 cl de vin blanc et laisser cuire à couvert environ 10 minutes. Saupoudrer de persil haché et ajouter 1 cuillerée de crème.

• Les œufs

Un livre entier ne suffirait pas pour rassembler toutes les recettes à base du complexe protidique le plus perfectionné pour la nourriture des hommes.

Il faudrait sortir des sentiers battus, de l'œuf coque, sur le plat ou en omelette. Cette cuisine pour le diabétique se veut dépouillée. Pour le but que nous poursuivons, les œufs devront remplacer la viande ou le poisson.

Contrairement à toutes les autres recettes, l'omelette sera faite à part pour le malade. Elle sera de 2 œufs et plus digeste, à l'huile d'olive contrairement à toutes les croyances. Elle peut être accommodée de différentes façons qui font «chanter» l'omelette. Arrosée de sauce tomate et servie avec du riz blanc, elle prend l'allure d'un plat cuisiné. Elle est excellente avec des légumes façon «nituké» (voir recette p. 110).

Piperade

On ne sait si on doit la décrire avec les légumes ou avec l'omelette dont elle dérive. Elle est faite de poivrons rouges et verts, d'oignons et de tomates dont on farcit l'omelette. Ou plutôt, on jette les œufs sur les légumes dans la poêle qui les cuit. C'est une spécialité du Pays basque. Je préfère servir les légumes à part. La piperade est très savoureuse et très peu calorique, à condition qu'on ne la transforme pas en bouillie de poivrons et d'oignons mal cuits qui baignent dans un liquide rougeâtre très peu appétissant et très indigeste.

Avec des épinards, on l'appelle l'omelette «florentine». Attention aux épinards surgelés! Les laisser bien cuire après la décongélation. «Mettre du beurre dans les épinards» n'est pas qu'une simple formule. Pour enlever l'acidité du légume, il faut ajouter 1 cuillerée de crème mélangée avec 1 cuillerée de Maïzena®, et parfois encore ajouter du lait. Alors les calories montent vite. Et il faut donc tout bien calculer pour l'obèse.

Œufs brouillés

Ils peuvent être cuits sans matières grasses, avec seulement 1 cuillerée à soupe de lait. On peut y ajouter toutes sortes de légumes déjà cuits – asperges, artichauts, champignons –, et le plat banal prend une autre allure. Avec des foies de volailles ou du jambon, c'est un plat hyperprotidique limité en calories si on utilise peu de matières grasses.

Œufs durs aux crevettes

Faire durcir 2 œufs par personne. Préparer une sauce blonde (voir p. 116). Hors du feu, ajouter les crevettes avec quelques lamelles de poivrons rouges (cuits quelques minutes dans de l'eau bouillante). Ajouter 1 cuillerée à soupe de persil et de fines herbes. Verser cette sauce sur les œufs durs accompagnés de bouquets de brocolis cuits à l'eau et de 2 petites pommes de terre vapeur.

Œufs en gelée maison

Prendre un paquet de gelée Maggi® et l'utiliser selon les directives données. Faire pocher les œufs dans de l'eau légèrement salée. Couper 1 tranche de jambon en quatre morceaux. Sortir les œufs de l'eau avec une écumoire et les déposer sur une serviette qui absorbera l'eau. Verser dans le fond d'une tasse un peu de gelée. Laisser prendre au froid. Déposer ensuite le jambon, une feuille d'estragon dans le fond, puis les œufs. Verser le reste de la gelée encore chaude au ras de la tasse. Mettre au froid la veille pour le lendemain.

Les légumes

Il y a sur les marchés une avalanche de légumes en toutes saisons. Ils nous arrivent de partout : des cultures maraîchères à la périphérie des villes, du potager familial, et des horizons exotiques les plus lointains.

À regarder de près le schéma directeur de l'alimentation du diabétique, on remarque que le légume n'est plus cette espèce de condiment qui accompagne la viande, reine de tous les menus, mais qu'il est essentiel au repas. Alors tentons de changer notre tactique alimentaire, et faisons des légumes chargés de tant de bienfaits une nourriture à part entière. Le malade se sentira moins isolé, et toute la famille profitera d'une alimentation plus saine.

Nituké japonais

Mettre dans une grande cocotte 2 aubergines, 1 courgette, 2 grosses tomates ou 3 petites bien mûres, 1 tête de fenouil, 1 poivron rouge coupés en morceaux dans 1 cuillerée à soupe d'huile d'olive. Ajouter 5 olives noires par personne et quelques fleurs de thym et remuer souvent. Couvrir et laisser cuire à petit feu, poivrer et saler légèrement. Attendre que la préparation prenne une belle couleur dorée, puis ajouter 1/2 verre d'eau.

Cette préparation peut servir de modèle à toutes sortes de mélanges de légumes. On peut varier avec des carottes, des petits pois, des endives, des poivrons et des champignons. Il est préférable de ne mettre ni ail ni oignons, qui masqueraient les goûts malicieux de ce mélange du potager. Simplement un peu de persil et de ciboulette. La cuisinière pressée peut se servir des mêmes légumes en préparations surgelées. Cela fait gagner du temps, mais on perd du charme, du goût et des vitamines.

Cœurs de céleri

Ceux en boîte sont en général trop salés. Les plonger pendant un moment dans un saladier plein d'eau fraîche, puis les laisser bien égoutter. Poser les cœurs sur un plat allant au four. Verser sur les légumes une sauce tomate diététique (voir p. 115), saupoudrer de 25 g de fromage râpé. Mettre au four puis passer sous la grille à gratiner.

Artichauts farcis de macédoine de légumes

Acheter des fonds d'artichauts surgelés, 2 par personne, et 1 paquet de macédoine surgelée. Se conformer aux indications inscrites, mais attention ! il faut que la macédoine soit très bien égouttée. Il est bon de la cuire quelques heures avant et de la mettre au froid dans une passoire posée sur une assiette. Elle séchera ainsi dans le réfrigérateur. Garnir les fonds d'artichauts avec la macédoine préparée avec de la mayonnaise allégée (voir p. 116).

Salade niçoise

Elle devient pour le diabétique un plat à part entière, et non cette entrée bourrative qui coupe l'appétit par son volume en remplissant «la panse». Il faut présenter les légumes dans un plat à part et non arrosés d'huile. Utiliser comme fond d'assiette des feuilles de laitue bien fraîches, poser dessus tous les autres ingrédients : les haricots verts, les radis roses, le céleri blond et les tomates simplement coupées en deux. Dans un autre plat, mettre 1 petite boîte de thon au naturel, des œufs durs, des olives noires et vertes, des petits oignons pour celui qui les aime. Et, comme dans le Midi, servir encore à part une sauce faite d'huile d'olive, de citron, de vinaigre et de moutarde relevée de ciboulette et d'estragon. Un plat entier et un régal !

Le diabétique, selon la ration à laquelle il a droit, y trouve tous les éléments de son régime. Certains y ajoutent des petites pommes de terre (qui se tiennent).

C'est un menu complet pour le diabétique sous insuline. L'autre, le diabétique obèse, ne touchera pas aux pommes de terre ou se contentera d'une seule !

Champignons farcis

Choisir 2 très gros champignons par personne. Les faire pocher pendant un quart d'heure. Pendant ce temps, préparer la farce avec 50 g de jambon, 1 tranche (100 g) de mie de pain rassis, les queues de champignons et du persil passés à la moulinette. Ajouter un parfum de noix de muscade râpée. Lier avec 1 œuf. Garnir les champignons de cette farce et mettre au four 1/4 d'heure. Verser sur la préparation une sauce blanche allégée (voir p. 117), remettre au four et servir dès que le plat est doré.

Les céréales

Depuis les temps les plus anciens, c'est la nourriture des hommes. Elles ont pourtant été bien abandonnées ces dernières années, et on y revient avec juste raison. Mais sous des formes si différentes qu'il est bien difficile de voir à quoi l'on a affaire !

Couscous

Un plat complet comportant tous les éléments indispensables et conformes aux normes du schéma nutritionnel destiné au diabétique insulino-dépendant.

Prendre 2 carottes, 2 courgettes, 2 tomates, 1 poivron rouge, 1 cuillerée à soupe d'huile d'olive, 1 cuillerée à café de curry ou de safran. Mettre l'huile dans une cocotte et y jeter les légumes coupés en morceaux pas trop petits. Il existe des sachets de surgelés pour couscous. Laisser dorer puis ajouter 1 verre d'eau et la moitié d'une petite boîte de pois chiches.

Laisser cuire à petit feu 1/2 heure.

Préparer la semoule. C'est très facile, il suffit de suivre les explications données sur le paquet de couscous moyen. Pendant que la semoule gonfle, mettre 1 cuillerée à soupe de raisins secs dans une casserole d'eau et laisser bouillir 1 ou 2 minutes.

Après les avoir égouttés, les ajouter à la semoule.

Faire griller 2 côtelettes d'agneau par personne, servir séparément la semoule et la viande, et les légumes. Chaque convive fait son mélange personnel. Le malade, lui, le fera selon les règles prescrites. C'est un plat peu calorique, peu lipidique, et qui contient les deux sortes de glucides convenant au diabétique : lents et très lents.

Riz en salade

Toutes les recettes de riz passées désormais dans nos habitudes sont valables aussi bien pour le diabétique obèse que pour l'insulino-dépendant.

Le poisson sera le bienvenu : cabillaud préalablement poché ou cuit à la vapeur, thon au naturel, crabe en boîte, crevettes et tous les poissons surgelés... au gré de la cuisinière. C'est un plat peu calorique agrémenté de légumes frais coupés en petits dés, mais attention si on ajoute de la mayonnaise, terriblement chargée en calories. Un assaisonnement d'une sauce tomate diététique (voir p. 115) devrait suffire.

Les salades composées

En général peu appréciées des gros mangeurs : « Ça ne tient pas au corps ! » C'est si facile à préparer, et pourtant c'est d'une monotonie décevante ! Tentons de donner vie et charme à tous ces légumes si colorés. Voici la grande couronne de crudités multicolores : passer à la moulinette des navets, des choux rouges, des carottes, des betteraves. Ajouter des poivrons rouges, des poireaux effilés, des haricots verts et ranger le tout en couronnes en assemblant les couleurs. Décorer de radis roses et de tranches de radis noirs, très riches en vitamine C. Servir avec une mayonnaise allégée (voir p. 116). Ajouter du persil plat haché.

Les sauces

Très importantes dans cette cuisine dans laquelle les matières grasses doivent être réduites au maximum. Toutes sortes de petites sauces très peu caloriques et peu salées mais riches en ingrédients sapides donneront une tenue nouvelle à cette cuisine pensée. Elles sont de précieux auxiliaires pour rompre la monotonie du légume bouilli. Elles sont presque indispensables.

Je ne parlerai pas de l'huile de paraffine, qui fut à la mode au temps des grandes cures d'amaigrissement très sévères et sources de toutes sortes d'inconvénients. Cette huile sans calorie et qui traverse les intestins comme un lubrifiant me semble l'antithèse de la diététique. Restons dans le comestible et non dans le pétrole, dont cette huile est dérivée.

Sauce tomate diététique

Prendre des tomates les plus mûres possible. Les éplucher en les trempant dans l'eau bouillante, quelques instants, puis dans l'eau froide.

Mixer avec une échalote, très peu d'ail, du persil, du basilic, du thym, et ajouter 1 petite boîte de tomates fraîches. Mixer le tout et passer pour plus de finesse. Laisser cuire un quart d'heure.

On peut rendre la sauce plus sapide en faisant revenir dans un peu d'huile des échalotes ou de l'oignon. Ajouter alors les tomates et pratiquer de la même façon.

Cette préparation peut agrémenter une quantité de légumes, de viandes, des œufs.

On peut y ajouter des câpres, des cornichons émincés qui en modifient le goût.

Sauce mayonnaise allégée

Faire bouillir le contenu d'un verre d'eau. Le verser dans un bol. Prendre 1 cuillerée à soupe de Maïzena® ou toute autre fécule, la mettre dans un petit bol, ajouter très peu d'eau froide, délayer. Verser le mélange dans le bol d'eau chaude : ça prend comme un flan.

Mettre au froid le matin pour le soir. Ajouter 1 cuillerée à soupe de vraie mayonnaise traditionnelle. Remettre au froid. Utiliser avec toutes sortes de salades, de viandes froides, des œufs durs, etc.

Sauce blonde

Couper 1 oignon ou 1 échalote. Mettre dans une poêle, ajouter 1 carotte coupée en rondelles, laisser roussir dans très peu d'huile à votre choix. Ajouter 1 cuillerée à café de farine. Mouiller avec 1 verre d'eau. Ajouter 1/2 carré de concentré Maggi®, Knorr® ou autre, à votre idée, du poivre, du thym, 1 feuille de laurier, mais pas de sel. Laisser épaissir 1/4 d'heure. Passer au tamis. Ajouter des champignons et 1 cuillerée à café de madère. Cette sauce onctueuse et douce peut accompagner toutes sortes d'aliments.

Sauce pour crudités et salades

Prendre 1 yaourt ou 1 Jockey® à 20 %, 1 cuillerée à café de moutarde, 1/2 jus de citron. Mélanger le tout dans un bol. Ajouter du sel, du poivre, des fines herbes mixées pour qu'elles dégagent tout leur parfum. Cela fait une sauce plus ou moins épaisse selon que l'on met plus ou moins d'herbes.

Ce sera plus doux et non acide si on prend un fromage blanc plus gras, à 40 % par exemple.

Sauce blanche allégée

Prendre 1 bol de lait écrémé. Faire bouillir. Enlever du feu. Mettre dans un autre bol 1 cuillerée à soupe de Maïzena®. Ajouter un peu de lait froid, le verser dans la casserole, ajouter poivre, sel, muscade ou curry. On peut faire la même sauce avec un lait normal pour un régime moins sévère, ou ajouter 1 cuillerée à café de crème.

Sauce au vin blanc avec échalote et bouquet garni pour poisson au four

Mettre une petite cuillerée à café d'huile d'olive dans une casserole, une échalote finement coupée, un bouquet garni, du poivre, du sel, des épices au choix. Laisser cuire 10 mn. Très peu calorique.

CONCLUSION

Les maladies dont le médecin n'a pas pu se rendre maître le laissent désemparé. Il est obligé de se fier à des thérapeutiques secondaires qui ne vont pas droit au but. Ce sont des thérapeutiques palliatives. Elles traitent les symptômes et non l'étiologie, c'est-à-dire la cause ; c'est le cas du diabète.

Mais ce médecin, toujours un peu philosophe par sa formation et surtout par l'aboutissement de ses expériences et de ses réflexions personnelles, peut-il se permettre quelques rapprochements avec les concepts, les sentiments des plus grands penseurs ? Voici Kant et ses trois questions fondamentales ! Que dois-je savoir ? Que dois-je faire ? Que dois-je espérer ? Avons-nous le droit de nous poser ces questions au sujet d'une maladie ? Tentons de répondre, cela nous permettra de faire le point !

Le diabétique doit savoir que la diététique est un atout majeur, et qu'obéir à certaines règles lui permettra de devenir vieux sans voir apparaître les graves troubles dont nous avons parlé. Les artérites des membres inférieurs, les insuffisances coronariennes s'éloigneront de son avenir, tandis que dans l'immédiat il pourra vivre comme tout le monde ou presque, et garder le goût de la vie qui passe ! Le diabétique doit observer les directives de ses médecins.

Puisqu'on ne peut guérir cette maladie, on peut au moins être vigilant. Suivre son régime amaigrissant sans le modifier n'importe comment, ne pas sauter les repas pour se jeter sur le repas suivant, ce qui est une erreur majeure.

«Bouger», pratiquer un sport – ce qui est recommandé – sans passer des heures à courir sous le vent et le froid de l'hiver, ou dans la grande chaleur des étés brûlants. En un mot, se comporter *raisonnablement*.

Quant aux techniques du traitement par l'insuline, c'est tellement essentiel! Je pense que tous les diabétiques qui seraient par trop négligeants sur ce point seraient bien vite rappelés à l'ordre par la survenue de malaises suffisamment angoissants pour se tenir sur leur garde.

Quels sont les espoirs permis?

La fameuse greffe du pancréas n'est pour l'instant qu'un merveilleux projet qu'attendent tous les malades sous insuline. Je crois qu'il est difficile de la voir se généraliser rapidement malgré les recherches.

Celles-ci progressent sur la découverte et l'adaptation de nouvelles insulines comme les insulines mixtes qui associent une «semi-lente» à une rapide.

Les progrès sont intéressants sur les hypoglycémiants oraux. Nous citerons les inhibiteurs de l'alpha gluconidase qui retardent l'absorption intestinale du glucose et évitent les pics d'hyperglycémie postprandiale (après le repas).

On tend actuellement vers des apports glucidiques plus larges. Certains nutritionnistes sont plus tolérants envers des régimes dits «libres». Cela dépend des écoles et surtout de la situation dans laquelle se trouve le malade et des types d'insulines utilisées.

Pour les obèses, le régime est essentiel dans tous les cas de figure. Les modes alimentaires plus ou moins libres donnent dans ce cas de très mauvais résultats, puisque, pour voir chuter la glycémie, il faut perdre du poids. Et on ne perd pas de poids sans une surveillance alimentaire.

ANNEXES

QUESTIONS-RÉPONSES : LE VRAI, LE FAUX

Nous avons à peu près envisagé et tenté de faire comprendre tout ce qui concerne l'alimentation du diabétique obèse ou insulino-dépendant.

Il faut savoir que les limites ne sont pas toujours aussi définies entre les deux types de cette maladie plus ou moins familiale que l'on connaît mal, dont on suppose depuis quelques années l'origine génétique sans que l'on puisse y apporter aucune amélioration.

Le diabète est-il une maladie grave ?

Oui, mais on a compris que s'il doit faire partie de la vie du malade, il peut être un «commensal» raisonnable si on le traite avec respect, si on ne le méprise pas. Dans ce cas, il vous tiendra compagnie très longtemps. Un diabétique peut vivre longtemps «en relative bonne santé»!

Peut-on guérir du diabète ?

La réponse découle de la précédente question. Le diabétique insulino-dépendant devra vivre toute sa vie avec son stylo aiguille et son insuline de mieux en mieux adaptée à mesure que les progrès de la recherche scientifique avancent dans ce domaine. Le diabétique obèse a plus de chance. L'amaigrissement régularisera sa glycémie sans piqûre. Quelquefois, le médecin se verra obligé d'ordonner un sulfamide rebelle au régime. Le plus souvent, c'est parce que le malade a repris trop de poids.

Connaît-on l'origine du diabète ?

On cherche, on suppose, on aurait trouvé un gène, mais ça ne marche pas pour l'étiologie de toutes les formes de la maladie.

Manger trop de sucreries donne-t-il le diabète ?

C'est une idée largement admise dans le public. Le sucre, c'est le croque-mitaine ! Chargé de tous les méfaits, et en premier lieu du diabète. On lui associe les maladies cardio-vasculaires et, bien entendu, la carie dentaire.

Le sucre est comme le reste de nos aliments : pris en quantité raisonnable, c'est un nutriment énergétique et indispensable. Si nécessaire que lorsque la ration est insuffisante ou nulle, l'organisme est obligé d'en fabriquer à partir d'autres nutriments, les lipides par exemple, par des truchements métaboliques complexes.

Une alimentation trop sucrée n'est pas à l'origine du diabète, si ce n'est par la création d'une certaine forme d'obésité, elle-même génératrice de la maladie. Et, nous le savons, pas toutes les obésités.

Je suis une jeune femme diabétique. Est-ce que je peux avoir un enfant ?

Il est bien loin le temps où l'on déconseillait la maternité à la jeune femme ! Il est d'ailleurs curieux, ce que l'on sait depuis longtemps, que le diabète de la mère semble amélioré par la gestation, le pancréas du fœtus compensant celui de la mère, déficient. L'essentiel est de faire suivre la grossesse par les diabétologues. Une surveillance accrue est indispensable. Aucune négligence n'est admise.

Je suis diabétique. Mon enfant sera-t-il forcément atteint de la maladie ?

Si le père et la mère sont atteints, il aura des risques accrus. S'il est indemne, on aura intérêt à surveiller de très bonne heure son alimentation. Pas trop sucrée, et surtout pas trop grasse. Ce sera une sorte de prévention.

Peut-on prévenir le diabète insulino-dépendant ?

Non, mais il vrai qu'il y a des familles à risque. On retrouve des antécédents de diabète chez des patients atteints d'artérite ou d'infarctus du myocarde.

Si le grand-père, la grand-mère ou la mère ont été diabétiques, attention aux enfants. Il faut surveiller leur alimentation, prévenir l'obésité, les aérer et les faire bouger.

Est-il vrai que les diabétiques ont de mauvaises dents ?

Oui, l'émail est plus fragile, les caries plus sévères, les gencives déficientes.

J'ai entendu parler de la gangrène chez les diabétiques ?

C'est le pied qui est le siège de lésions de ce genre si les artères qui l'irriguent sont obstruées par les dépôts athrômateux. Chez les très vieux diabétiques, le sang arrive mal et la « gangrène » apparaît sur les orteils. Le malade sera très attentif aux soins des pieds. La moindre blessure ou brûlure, le moindre traumatisme peuvent être à l'origine de troubles très graves. Attention aux souliers, aux ampoules !

QUELQUES CHIFFRES

Les différents tableaux ne donnent que des valeurs approximatives qui peuvent varier légèrement.

PRINCIPAUX ALIMENTS POUR 100 G DE PRODUIT

Aliments	Calories	Protéines (g)	Lipides (g)	Glucides (g)	Na (mg)	K (g)
VIANDES						
Bœuf						
Cœur cru	260	16	20,4	1	90	160
Foie cru	134	20	5,4	2,5	130	380
Langue crue	306	19	29,6	1,1	100	340
Langue cuite	240	27	15	-	85	230
Maigre, muscle cru	200	20	13	-	60 (50/70)	38 (360/410)
Rognon cru	112	17	1,8	0,4	200	310
Cheval						
Maigre, muscle cru	110	22	2	1	65 (60/75)	389
Lapin						
Muscle bouilli	130	28	1	-		
Muscle cru	162	22	9	0,5	40	385

Aliments	Calories	Protéines (g)	Lipides (g)	Glucides (g)	Na (mg)	K (g)
Mouton						
Côtelette crue maigre	187	19	11,8 12,4	-	100	350
Gigot cru maigre	225	19,8	20,4	-	75	380
Gigot cuit	292	25		-	70	376
Porc						
Côte grillée maigre	325	25	23,7	x	76	347
Foie	135	21	4,5	1,4	80	350
Muscle cru	337	17	30,1	-	55	260
Jambon						
Cuit maigre	150	28 (26/30)	4,9	-	(1 100-1 250)	(280-340)
Sans sel (AP)	x	x	x	x	30	210
Veau						
Escalope crue	148	20	11	-	70 (50-100)	400 (330-450)
Foie cru	128	19	5,3	-	110	380
Rôti cru	143	20	6,1	-	62	
Rôti cuit maigre	130	30	0,7	-		
Volailles						
Canard cru	165	21	8,2	-	85	285
Oie crue	408	16	36,2	-	85	420
Poulet cru	160	21	7,8	-	80	265
Poulet cuit	166	30	4,4	2,1	80	370
POISSONS						
Cabillaud	116	20	-	-	65	-
Carrelet bouilli sans sel	x	21	x	-	60	310
Carrelet cru	81	18	1	-	65	-
Colin bouilli sans sel	90	20	1	-	x	x
Colinot bouilli sans sel	x	x	x	x	80	300
Hareng cru (non salé)	180	180	180	-	100	-

Aliments	Calories	Protéines (g)	Lipides (g)	Glucides (g)	Na (mg)	K (g)
Limande bouillie sans sel	x	24	x	x	80	190
Merlan cru	-	19	-	-	-	-
Raie bouillie sans sel	-	-	-	-	105	250
Sardines (cons. à l'huile)	220	24	12,7	-	550	560
Crustacés, coquillages					370	271
Crabe bouilli	125	19	5,2		140	220
Crevettes crues	92	19	0,4	1,7	230	180
Homard bouilli	90	17	1,9	0,4	variable	110
Huîtres crues	50	6	3,7	-		
ŒUFS						
Blanc	50	12	0,7	-	150 (110-200)	130
Jaune	363	16	33,3	-	50 (30-70)	110
Entier (100 g)	148	13	10,5	-	130 (80-150)	120
1 blanc (35 g)	18	4,2	-	-	50 (40-75)	45
1 jaune (15 g)	55	2,4	5,0	-	10	15
1 œuf (50 g)	74	6,5	5,2	-	65 (40-75)	60
PRODUITS LAITIERS						
Caillé de lait écrémé, pressé, lavé 3 fois		27	-	-	16	35
Crème fraîche à 30 %	300	3	30	3,5	35	70
Fromage blanc (AP)	x	9	x	x	33	80
Hyperprotidine désodée Guigoz®	270	90	-	-	35	90
Lait écrémé	36	3,7	0,2	5	52	150
Lait entier	67	3,3	3,7	5	50	150

Aliments	Calories	Protéines (g)	Lipides (g)	Glucides (g)	Na (mg)	K (g)
Lait entier sec en poudre	500	29	26,9	36,5	410	1 100
Lait Pennac®	75	6,9	0,3	11,8	38	
Poudre de lait (non sucré, écrémé)	380	38	1	55	440	1 500
Poudre de lait (sucré, demi-écrémé)	450	20	12	65	320	1 000
Petit-suisse (parisien)	155	10	x	4	25	90
Yaourt (100 g)	45	3,4 (3,5-7)	1,5	4	30	125
FROMAGES						
Brie	280	20	22,4	-	x	150
Camembert	338	20	26,3	-	1 000	x
Carré de l'Est		20	x	x	1 150	130
Gruyère	380	28	28,5	1,4	370	140
Hollande		28	x	x	1 200	85
Port-Salut	320	22	25,2	-	650	x
MATIÈRES GRASSES						
Beurre	800	0,5	85	-	10	6
Huile	900	-	100	-	négligeable	-
Margarine	752	0,8	83	0,4	10	-
CÉRÉALES ET DÉRIVÉS						
Biscottes salées	366	11	5,1	70,4	360	170
Biscottes sans sel	366	(10-12)	5,1	70,4	10	240
Farine	353	10	2,2	72,8	3	130
Pain salé	257	8	0,8	55	500	115
Pain sans sel	257	8	0,8	55	15	150
Pâtes	358	12	0,9	74,1	6	170
Riz	341	7	0,4	77,4	3	100
Semoule	369	11	1,8	77,5	4	125
Tapioca	354	0,3	0,1	88	6	40
LÉGUMES SECS						
Haricots secs	360	22,5	1,8	59,6	1	1 300
Lentilles séchées	340	26	1,0	54,7	3	1 200
Pois cassés	345	25	1,0	57,5	30	880

Aliments	Calories	Protéines (g)	Lipides (g)	Glucides (g)	Na (mg)	K (g)
LÉGUMES FRAIS						
Artichaut (cœur bouilli)	15	2	-	2,7	19	220
Artichaut (feuilles)	x	3	x	x	5	210
Asperge (bouillie)	17	2	0,3	1,4	3	240
Betterave	36	2	x	6,5	x	x
Carotte bouillie	20	0,6	traces	4,3	35	100
Carotte crue	24	0,7	traces	5,4	40 (20-70)	400
Céleri	10	1	0,1	1,3	100	300
Champignons crus	45	3	0,4	6,8	5	520
Chicorée frisée (crue)	22	2	0,2	4	30	370
Chou Bruxelles (bouilli)	15	2	-	1,7	10	140
Choucroute	25	1	0,4	3,5	630	140
Chou cru	24	1	0,2	4,4	10	230
Chou-fleur (bouilli)	15	2	0,4	1,4	15	130
Concombre cru	13	1	0,2	1,7	5	230
Endive crue	21	1	0,3	2,9	5	130
Endive cuite	x				5	120
Épinards bouillis	13	2	0,8	0,2	50	380
Épinards crus	20	2	0,3	2,3	70	780
Haricots verts bouillis	19	1	x	x	2	x
Haricots verts conserves	12	1	0,1	2	410	120
Haricots verts crus	x	x	x	x	1	300
Laitue crue	12	1	0,3	1	10	230
Navet cru	33	1	0,2	6,8	40	230
Oignon cru	33	x	x	8,3	6	300
Olives préparées	224	1	20	10	2 000	55
Petits pois	53	6	0,3	10	x	x
Poireau cuit	26	2			25	235
Pommes de terre :						
• bouillies nouvelles	70	1,6	-	18,3	2	160
• bouillies vieilles	84	1,4	-	19,7	4	420
Radis	22	1	0,1	3,5	40	260
Salade frisée	10	1	0,1	0,9	33	360
Salsifis bouillis	42	1	0,1	9		

Aliments	Calories	Protéines (g)	Lipides (g)	Glucides (g)	Na (mg)	K (g)
Scarole crue	10	1,7	0,1	0,9	31	300
Tomate crue	20	1	0,4	3,3	3	220
Tomate cuite	22	1	0,2	0,4	3	-
FRUITS FRAIS						
Abricot	30	0,6	-	6,7	1	440
Banane	95	1,3	0,6	21	1	400
Cerise (moyenne)	50	0,6	-	11,9	1	260
Citron fruit	40	1,0	0,7	7,4	1	130
Citron jus	40	-	-	9,8	1	150
Figue fraîche	54	0,6	0,5	11,7	1	190
Fraise	34	1	0,6	6	2	180
Framboise	47	1	0,6	9,7	1	130
Groseille	24	1,1	-	4,4	1	160
Melon	27	0,6	0,2	5,7	2	230
Orange fruit	39	0,8	0,2	8,5	4 (1-8)	230
Orange jus	40	0,6	0,1	9	2	139
Pamplemousse	25	0,6	-	5,3	1	200
Pêche	40	0,5	0,1	8,8	2	170
Poire	40	0,4	0,4	8,3	2	100
Pomme	46	0,3	0,3	10,3	1	100
Prune	38	0,7	0,2	8,3	1	170
Raisin frais	67	0,6	-	16,1	3	170
Rhubarbe crue	22	0,6	0,7	2,5	2	70
FRUITS SECS						
Amandes	583	20,5	53,5	4,3	3	690
Cacahuètes	500	28,1	49	8,6	x	x
Dattes	305	2	0,6	73	1	790
Figues	226	3,6	-	52,9	34	780
Figues	555	12,5	51,5	5,0	3	410
Pruneaux	175	2,4	-	40,3	6	660
Raisins secs	163	1,1	-	64,4	25	730
SUCRERIES						
Chocolat	500	7	24	64	86	420
Confiture	256	0,7	-	63	8	84
Crème de marrons		2,4			74	208
Dextrosol	400	-	-	99	6	x

Aliments	Calories	Protéines (g)	Lipides (g)	Glucides (g)	Na (mg)	K (g)
Eleska	480	17	28	38	190	985
Miel	340	0,4	-	81,2	7	10
Sucre blanc	400	0,5	-	99,3	1	3
Sucre brun	350	-	-	91	24	230
MOUTARDE						
Sans sel (Amora)	x	x	x	x	19	300
BOISSONS						
Bière	x	x	x	x	3	40
Bière (moyenne)	50	0,4	-	4,1		
Bouillon de légumes (AP)	x	x	x	x	8	60
Bouillon Kub	x	x	x	x	24 000	100
Café (AP)	x	x	x	x	1	60
Cidre	x	x	x	x	4	100
Eaux :						
• ordinaire	-	-	-	-	0,8	-
• Évian®	-	-	-	-	-	-
• Roches Santeuil®	-	-	-	-	0,9	-
• Vichy St-Yorre®	-	-	-	-	154	12
• Vittel® grande source	-	-	-	-	0,9	-
Jus de fruit Emmop :						
• Jus d'abricot	x	x	x	x	3	200
• Jus d'orange	x	x	x	x	3	200
• Jus de pamplemousse	x	x	x	x	4	150
• Jus de tomate	x	x	x	x	225	240
Jus d'ananas (Pampryl)®	x	x	x	x	0	133
Nescafé®	x	x	x	x	60	4 000
Nestea poudre®	x	x	x	x	100	2 500
Tilleul (AP)	x	x	x	x	1	6
Vin rouge 12°	70	0,2	-	10	8	100

CALORIES D'UNE PORTION

Aliments	Portion	Calories
LAITAGES		
Brie	40 g	125
Camembert	1/6	125
Cantal	25 g	97
Chèvre	30 g	100
Coulommiers	1/8	105
Fromage blanc 0 % MG	3 c. à s.	40
Fromage blanc 40 % MG	3 c. à s.	90
Fromage blanc 60 % MG	3 c. à s.	120
Gruyère	25 g	100
Hollande	25 g	80
Lait concentré sucré	1 c. à s.	50
Lait écrémé liquide	1 verre	60
Lait entier liquide	1 verre	230
Petit munster	1/4	80
Petit-suisse 60 %	1	60
Pont-l'évêque	1/6	110
Roquefort	25 g	101
Saint-Paulin	25 g	95
Yaourt nature	1	60
Yaourt + sucre	10 g	100
Yaourt maigre	1	50
Yaourt aux fruits	1	120
PAINS ET PRODUITS DE BOULANGERIE		
Biscotte	1	30
Brioche	1 (50 g)	210
Croissant	1	140
Demi-baguette	1	310
Farine	1 c. à s.	35
Pain brioché prédécoupé	1 tranche	70
Pain de campagne prédécoupé	1 tranche	75
Pain d'épice	1 tranche (25 g)	85
Pain grillé	1 tranche	50
Petit pain au chocolat	1	160

Aliments	Portion	Calories
HORS-D'ŒUVRE ET ENTRÉES		
Avocat	1	250
Bouchée à la reine	1	600
Coquillages ou crustacés	50 g	100
Crudité nature (chou, tomate, etc.)	1 ass. : 150 g	30
Crudité + vinaigrette : dont huile	1 c. à s. : 10 g	120
Potage de légumes nature	1 ass.	100
Potage + crème, beurre ou lait	1 ass.	130
Quiche, pizza individuelle	1	310
Rillettes	50 g	300
Salade verte (laitue, chicorée, etc.)	1 ass. : 150 g	5
Salade + vinaigrette : dont huile	1 c. à s. : 10 g	95
Saucisson, pâté	50 g	210
VIANDES		
Bœuf grillé ou rôti	1 steak : 125 g	310
Boudin (grillé)	100 g (6 à 7 cm)	480
Canard	1 cuisse : 100 g	200
Cheval grillé ou rôti	1 steak : 125 g	140
Choucroute garnie ordinaire	1 ass.	600
Dinde	1 filet : 100 g	270
Jambon de Paris ou d'York	1 tranche : 50 g	150
Mouton (gigot)	1 tranche : 100	225
Pintade, poulet grillé ou rôti	1 cuisse	225
Pintade, poulet en sauce	2 c. à s.	+ 150
Porc	1 côte : 125 g	375
Sandwich charcuterie (au comptoir)	1	350
Saucisses Strasbourg ou Francfort	1 paire	230
Veau grillé ou rôti	1 escalope : 125 g	215
POISSONS ET FRUITS DE MER		
Crevettes, homard, langouste	150 g	130
Huîtres	1 douz.	100
Moules (décoquillées)	100 g	72
Poissons « gras » : saumon, saumonette, sardines, thon, maquereau :		
• au court-bouillon	150 g	225

Aliments	Portion	Calories
Poissons « maigres » : sole, cabillaud, colin, daurade, carrelet, merlan :		
• au court-bouillon	150 g	120
• frits + huile	10 g	210
• avec mayonnaise	15 g	260
Sardines à l'huile (conserve)	2	60
Thon à l'huile (conserve)	50 g	140
ŒUFS		
Coque, durs ou crus	2	150
Frits + beurre ou huile	10 g	230
LÉGUMES		
Artichaut	1	80
Asperges	1 part : 200 g	50
Aubergine	1 ass. : 200 g	50
Betterave rouge cuite	1 ass. : 200 g	80
Carotte	1 ass. : 200 g	80
Céleri branche	1 ass. : 200 g	40
Céleri rave	1 ass. : 200 g	90
Champignon de Paris	1 ass. : 200 g	90
Chou	1 ass. : 200 g	60
Chou de Bruxelles	1 ass. : 200 g	60
Chou-fleur	1 ass. : 200 g	60
Cresson	1 ass. : 200 g	50
Endives	1 ass. : 200 g	50
épinards	1 ass. : 200 g	50
Haricots verts	1 ass. : 200 g	50
Haricots secs, lentilles, pois cassés, fèves	50 g crus	170
Navets	1 ass. : 200 g	50
Oignons	1 moyen : 50 g	25
Pâtes, riz	1 ass. : 200 g cuits	180
Petits pois	1 ass. : 200 g	140
Poivron, oseille	1 ass. : 200 g	50
Pommes de terre à l'eau	1 ass. : 200 g	180
Pommes de terre : chips	1 ass. : 100 g	550
Pommes de terre : frites	1 ass. : 200 g	800
Salsifis, topinambours	1 ass. : 200 g	140
Soja en germes	100 g	50

Aliments	Portion	Calories
Soja non déshuilé en grains	50 g	210
Tomate	1 ass. : 200 g	50

DESSERTS

Aliments	Portion	Calories
Abricot	3	70
Ananas frais	1 tranche	70
Banane	1	90
Brugnon	1	70
Chocolat à croquer	1 barre : 10 g	50
Chocolat au lait	1 barre : 10 g	55
Citron	1	20
Confiture	1 c. à s.	165
Dattes, pruneaux, raisins secs	100 g	300
Flan	1	200
Fraises	3 c. à s.	70
Framboises	3 c. à s.	70
Fruits cuits au sirop	100 g	90
Gâteaux secs	8-10 : 50 g	210
Glace au lait	1	290
Miel	1 c. à s.	175
Oléagineux : noix, noisettes, amandes, cacahuètes, noix de cajou	30 g	180
Orange	1	70
Pamplemousse	1/2	70
Pâtisserie à la crème : éclairs, mille-feuilles, etc.	1	500
Pâtisserie aux fruits : tartes, chaussons	1	400
Pêche	1	70
Prune	3	70
Sorbet	1	175

BOISSONS

Aliments	Portion	Calories
Apéritif 20°	1 verre : 100 ml	150
Bière	1 demi : 250 ml	125
Café	1 tasse	0
Champagne brut	1 coupe : 75 ml	60
Cidre	1 verre : 250 ml	120
Citron pressé	1	20
Digestif	1 verre : 30 ml	90
Eau	1 verre	0
Jus de fruits conservé sucré	1 verre : 250 ml	160

Aliments	Portion	Calories
Limonade, coca	1 verre : 250 ml	110
Orange pressée	1	70
Thé	1 tasse	0
+ sucre	1 morceau : 5 g	20
Vin blanc « doux »	1 verre : 100 ml	90
Vin rouge 10°	1 verre : 100 ml	75
Whisky	1 verre : 50 ml	140
ASSAISONNEMENTS ET CORPS GRAS		
Beurre	1 noisette : 5 g	40
	1 noix : 10 g	80
Crème fraîche	1 c. à s.	30
Huiles végétales	1 c. à s. : 10 g	90
Ketchup	1 c. à s.	30
Margarine	1 noix : 10 g	75
Mayonnaise	1 c. à s.	90
Moutarde	1 c. à s.	10
Saindoux	1 noix : 10	90

SOURCES

Albert (L.), *Le Guide de la diététique familiale*,
éditions De Vecchi, 1994.
Apfelbaum (M.), Perlemuter (L.), Nillus (P.), Forrat (C.),
Dictionnaire pratique de diététique et de nutrition,
Éditions Masson, 1981.
Fiévet-Izard (M.), *L'alimentation végétarienne équilibrée*,
éditions De Vecchi, 1997.
Fiévet-Izard (M.), *Manger vert*, Éditions Ramsay, 1986.
Fusi (M.-G.), Bandera (M.-T.), *Guide de l'alimentation
du diabétique*, éditions De Vecchi, 1994.
Monnier (L.), *Bien connaître son diabète*, éditions Solal, 1993.
Trémolières (J.), *Diététiques et art de vivre*, Éditions Hatier, 1990.

TABLE DES MATIÈRES